Akira Mizubayashi

Petit éloge
de l'errance

Gallimard

Écrivain et traducteur japonais, Akira Mizubayashi est né en 1951. Après des études à l'université nationale des langues et civilisations étrangères de Tokyo (UNALCET), il part pour la France en 1973 et suit à l'université Paul-Valéry de Montpellier une formation pédagogique pour devenir professeur de français (langue étrangère). Il revient à Tokyo en 1976, fait une maîtrise de lettres modernes, puis, en 1979, retourne en France comme élève de l'École normale supérieure. De 1983 à 2017, il a enseigné le français à Tokyo, successivement à l'université Meiji, à l'UNALCET et à l'université Sophia. *Une langue venue d'ailleurs* (2011) a reçu de l'Association des écrivains de langue française le prix littéraire de l'Asie 2011, de l'Académie française le prix du Rayonnement de la langue et de la littérature françaises 2011 et, du Richelieu international-Europe, le prix littéraire Richelieu de la francophonie 2013. *Mélodie, Chronique d'une passion* (2013) a obtenu le prix littéraire 30 Millions d'amis 2013 et le prix littéraire de la Société centrale canine 2014. Depuis ont paru *Petit éloge de l'errance* (2014), *Un amour de Mille-Ans* (2017), *Dans les eaux profondes* (aux Éditions Arléa, 2018) et *Âme brisée* (2019). Ce dernier a obtenu, outre le prix des Libraires 2020, six autres prix dont le prix des Lecteurs des écrivains du Sud 2020 et le prix de la Ville de Deauville 2020. Son nouveau roman, intitulé *Reine de cœur*, paraîtra dans la collection « Blanche » en mars 2022.

Akira Mizubayashi vit à Tokyo et écrit directement en français.

Lisez ou relisez les livres d'Akira Mizubayashi en Folio :

UNE LANGUE VENUE D'AILLEURS (Folio n° 5520)
MÉLODIE. CHRONIQUE D'UNE PASSION (Folio n° 5811)
UN AMOUR DE MILLE-ANS (Folio n° 6523)
ÂME BRISÉE (Folio n° 6941)

À la mémoire de J.-B. Pontalis

La quête du lieu acceptable, c'est
la colonne vertébrale de l'errance.

RAYMOND DEPARDON
Errance.

OUVERTURE

Sur les traces d'un guerrier en errance

De la musique d'abord. Des roulements de tambour très rythmés. Puis, très vite, se mêlent des bruits secs comme si on battait deux plaques de bambou l'une contre l'autre, des frappements presque métalliques un peu comme des coups de marteau qu'on entend dans *L'Or du Rhin* de Richard Wagner au moment où Wotan et Loge hasardent leur descente dans le Nibelheim, le pays des nains forgerons. Quelques dixièmes de seconde après, tandis que les frappements se retirent peu à peu, se font entendre, toujours au même rythme soutenu, des notes graves, répétées, d'une manière saccadée et en crescendo, vraisemblablement par des saxophones. Mais, brusquement, plus de bruits secs, ni de saxophones. Seuls les roulements de tambour continuent. C'est alors qu'intervient un autre instrument à vent comme une flûte traversière introduisant une étrange phrase musicale, frêle, inquiétante, tremblante, pour dessiner une courbe d'abord ascendante puis descendante. Et vers la fin de la dernière note fantomatique qui traîne réapparaissent des claquements de bambou imperceptiblement plus aigus que tout à l'heure.

Tout cela en l'espace de vingt-cinq secondes.

Changement brutal d'atmosphère, avec une averse de sons grésillants qui brisent la continuité rythmique et musicale. On dirait des notes jouées sur un clavecin. Après un silence qui dure à peine le temps d'un souffle, les plaques de bambou et le tambour reprennent leur droit de plus belle. Mais le choc vient surtout de la soudaine apparition d'une image : celle d'une chaîne de montagnes enneigées sur laquelle sont superposés en blanc trois idéogrammes dont le tracé, à la fois vigoureux et maîtrisé, fait penser pour un œil averti à celui d'un gros pinceau imbibé d'encre de Chine.

用心棒　　　**Yojimbo**

Des claquements de bambou stridents et des battements de tambour plus clairs et plus aérés — il s'agit sans doute d'un tambour à main, en forme de raquette de tennis, frappé à coups de mailloche — se font entendre sur un rythme radicalement différent par rapport au précédent, mais parfaitement ordonné et qui semble cette fois mimer et suggérer un certain désordre.

Apparaît enfin à l'extrémité droite de l'écran un homme qui avance vers le fond. On le voit de dos. Il porte un kimono sombre avec un blason blanc imprimé en plein milieu du dos, juste en dessous du col. C'est donc un samouraï issu d'une famille respectable. Mais on se rend compte aussitôt qu'il s'agit là d'un guerrier déclassé puisqu'il est mal coiffé (son chignon n'est pas correctement noué), que son kimono

est rapiécé, sensiblement défraîchi. La preuve décisive de son état de *ronin* serait toutefois un *geste*, celui
bien caractéristique de quelqu'un de malpropre : sa
main gauche sort de son habit, non pas par la manche
comme il se doit, mais par le devant pour remonter
vers la nuque ; le sans-abri esquisse ce geste afin de se
gratter et, surtout, de racler ses cheveux gras et sales
tremblotant au gré du vent d'hiver. Les trois énormes
idéogrammes cachaient d'abord son corps ; mais,
à l'instant même où le samouraï fait ce geste, ils s'ef-
facent complètement pour le montrer dans toute la
clarté de l'air montagneux. Encerclé d'autres *kanjis*
(nom des deux producteurs), le corps du solitaire, à
présent, ne ressort que mieux. Seul, isolé, sans maître,
sans emploi, détaché de toute allégeance, de toute
inféodation, il est peu soucieux des bonnes manières
propres à la caste guerrière.

Ainsi entre en scène le héros dont la solitude est
soulignée par le grand silence de la nature environnante. L'apparition du héros est aussi indiquée, il faut
y insister, par la musique qui introduit à ce moment
précis une sorte de leitmotiv, celui justement de
l'homme sans attache engagé dans ses combats solitaires.

Le samouraï amorce alors un mouvement latéral
tout en admirant le paysage grandiose. L'écran est
désormais inondé d'idéogrammes. C'est le géné-
rique : le guerrier est comme une ombre qui bouge.
La musique, multipliant les variations du motif du
héros, accompagne cette ombre vacillante. On voit
l'homme de dos, presque toujours en biais. De temps
à autre, il remue nerveusement les épaules comme s'il
avait des démangeaisons. On observe alors sa main

droite qui, passant par la manche de son kimono pour une fois, grattouille la tête près de l'oreille. Sous une avalanche de *kanjis* tous magnifiquement calligraphiés, l'homme poursuit sa marche. Pas de baluchon, ni de besace. Il porte seulement, à la taille sur le côté gauche, un long sabre. Au bout de quelques instants, la caméra descend lentement pour se concentrer sur ses pieds chaussés de *waraji*, sandales de paille. Le *ronin*, en effet, c'est d'abord quelqu'un qui marche, qui va on ne sait où, puisque rien ne le retient, rien ne l'attache à un lieu fixe. Deux statuettes *jizo*, divinités protectrices des voyageurs, sont posées sur le bord du chemin. Au moment où les pieds entraînent le corps vers une sorte d'enfoncement tout en les contournant apparaît enfin au milieu de l'écran le nom du réalisateur : Akira Kurosawa.

La musique d'introduction se termine avec des éclats de trompette et cède doucement au bruit du vent. Il fait froid. D'un coup, la caméra s'élève pour capter le personnage en plan taille ; puis elle cesse de le suivre dans sa marche. Le bruit du vent s'intensifie. Des poussières de terre s'envolent ; les larges manches du kimono flottent à la merci du vent. À l'arrière-plan, la vague silhouette d'une chaîne de montagnes. Le samouraï, transi, se secoue plusieurs fois. Il est encerclé d'herbes hautes et drues qui se hérissent devant lui comme d'innombrables lances acérées. La solitude est infinie et profonde. Le héros, qu'on voit maintenant en pied, arrive à une intersection. Où aller ? Quel chemin prendre ? Il interroge l'horizon et fait un tour complet sur lui-même. C'est alors qu'il trouve une longue branche d'arbre par terre. Il la ramasse et la lance en l'air. Elle tombe. On dirait que, posée en diagonale, sortant de l'énorme ombre du guerrier qui occupe la moitié inférieure de l'écran, elle indique une direction. Sur fond de musique d'une innocence et d'une nonchalance enfantines, le samouraï enjambe la branche et se résout à prendre la direction indiquée par le hasard.

Ainsi Kurosawa introduit-il, d'emblée, la figure emblématique d'un individu solitaire et *errant* dans son chef-d'œuvre de 1961.

À une intersection en rase campagne comme celle du début de *Yojimbo* se tiennent debout neuf jeunes samouraïs réunis qui occupent la moitié gauche de l'écran. Les herbes hautes et drues sont là comme pour produire un effet de déjà-vu. Au milieu, plus loin, deux hommes se trouvent face à face. Celui de droite, le samouraï en guenilles, mal rasé, mal coiffé, s'adresse au groupe des jeunes :

— Rentrez. Je ne vous suivrai pas.

Il se retourne.

Un raccord magnifique permet de voir maintenant les deux hommes au premier plan. Les neuf guerriers néophytes formant une unité se trouvent à l'arrière, assez loin, en observateurs attentifs. Le *ronin* se remet juste en face de son rival et lui dit :

— Tu tiens vraiment à te battre avec moi ?

L'adversaire nommé Hanbei Muroto, frustré et haineux, veut absolument abattre celui qui a mis en échec tout son projet d'avancement dans sa carrière de samouraï rangé. Le guerrier déclassé et solitaire, désireux, qui plus est, de le demeurer en dépit des sollicitations seigneuriales, tente de le persuader de l'absurdité du duel qui ne mène qu'à la mort de l'un des deux, mais en vain.

Alors s'installe un silence, un silence qui n'en finit pas. Les combattants se mettent en garde, tandis que les observateurs, jeunots pétrifiés, restent dans une immobilité de statue. Près de quarante secondes passent… dans une attente d'éternité. En un dixième de seconde, Muroto brandit son sabre ; le *ronin* s'abaisse et, en un éclair, dégaine le sien de la main gauche pour frapper mortellement l'ennemi à la poitrine, ce qui provoque, à la stupéfaction de tous les témoins pusillanimes (et de tous les spectateurs, bien entendu), un monstrueux jaillissement de sang. Muroto, écarquillant les yeux, tombe par terre. Le combattant survivant, essoufflé et horrifié de son œuvre, regarde le mort étendu au milieu d'une large et abondante flaque de sang.

— Magnifique ! dit le leader du groupe des jeunes inexpérimentés en faisant quelques pas en avant.

— Arrête de débiter des balivernes ! Tu ne sais pas de quoi tu parles !

L'homme, filmé en plan poitrine, est fou de rage. Il rengaine son sabre et crie de toutes ses forces :

— Faites gaffe, je suis en colère…

La caméra le suit dans son mouvement latéral, tout en le filmant de profil en plan taille dans sa solitude essentielle. Les blancs-becs, disparus un moment, accourent derrière le guerrier victorieux. Le samouraï solitaire se définit alors comme un sabre dégainé en rappelant les propos de l'épouse débonnaire du seigneur généreux, qui disait qu'un vrai sabre de qualité était toujours enfermé dans son fourreau. Et il ajoute sur un ton convaincu et autoritaire :

— Restez donc toujours enfermés dans votre fourreau. Compris ?

Le solitaire disparaît de l'écran en laissant en son
centre un espace vacant qui divise les jeunes éberlués
et admiratifs en deux groupes, l'un de cinq, l'autre de
quatre. Ceux-ci courent après le vainqueur en colère.
Le plan suivant, en plongée, montre les admirateurs
dans la moitié gauche de l'écran, tandis que le héros,
au premier plan, en occupe l'extrême droite. Celui-ci
se retourne et, en les surplombant, leur dit, d'une voix
d'outre-tombe, de ne pas le suivre. Les mots et le ton
sur lequel ils sont dits sont d'une rare violence :

— Si vous me suivez, je vous zigouillerai tous !

Le samouraï solitaire, toujours à l'extrême droite
de l'écran, se retourne une dernière fois. Les jeunes
apprentis samouraïs s'agenouillent et lui adressent
une profonde révérence. Ils sont au bord des larmes.
Le héros en plan poitrine, un peu embarrassé, leur
dit :

— Ciao !

Il s'éloigne en montant le chemin en pente et en
remuant les épaules comme au début de *Yojimbo*.
Inutile de préciser que la vision en contre-plongée traduit le regard des jeunes guerriers toujours en groupe,
jamais dispersés. Une musique d'un éclat singulier
assurée par des trompettes accompagne la marche
déterminée et cadencée du *ronin*. Son *errance* se poursuit.

C'est, on l'aura peut-être reconnu, la fin de *Sanjuro*, qu'Akira Kurosawa réalisa en 1962 comme une
suite de *Yojimbo*. D'un film à l'autre, le samouraï solitaire et errant porte le même kimono usé, défraîchi, raccommodé ; il est identiquement mal coiffé,

pareillement mal rasé ; il est joué par un même acteur,
celui légendairement associé au réalisateur, Toshiro
Mifune. Tous les indices sont là pour nous dire que
c'est le même personnage qui habite les deux films.
Le samouraï errant n'a pas de nom. Le *yojimbo* (garde
du corps) se présente à un moment donné sous le
nom de Sanjuro Kuwabatake, mais le champ de
mûriers (*kuwa*) qu'il contemple en prononçant ce
nom montre qu'il s'agit là d'un nom inventé de toutes
pièces dans l'instant. Le *ronin* de *Sanjuro*, de son côté,
s'appelle Sanjuro Tsubaki, mais là encore les camélias
(*tsubaki*) qu'il regarde en se présentant indiquent que
c'est une identité forgée pour les circonstances. Le
héros des deux films est donc un homme sans nom.
C'est comme un fantôme qui traverse la ville et la
campagne. C'est un être singulier, totalement singulier, mais l'indéfini de son existence errante, sans
racine, invite n'importe qui à combler cet indéfini à
son propre compte.

Pourquoi commencer ce *Petit éloge de l'errance* par
l'évocation de ce personnage singulier ? Celui-ci fut
créé par Kurosawa dans le contexte politique particulier où le Japon venait de sortir d'une période extrê-
mement mouvementée autour de la ratification, en
juin 1960, du Traité de sécurité nippo-américain. Le
ronin solitaire et invincible fit son apparition dans le
paysage politique désenchanté issu de l'effondrement
des contestations estudiantines et syndicales. Plus de
cinquante ans après, l'invention du personnage en
errance me paraît comme l'indice discret, l'effet inat-
tendu d'une réflexion exigeante sur la situation problématique de l'individu dans la société japonaise

de l'après-guerre. Il me semble, en effet, qu'il existe une couche politique profonde — et même peut-être inconsciente — dans la conception et la construction de cet *errant* exemplaire. Je pense à lui. Depuis longtemps, je pense à lui ; je ne cesse de penser à lui pour penser à travers lui l'*être-ensemble* dont je me mets à l'écart et que je cherche à déconstruire. Je suis habité, hanté, obsédé par lui. Depuis mon enfance où j'ignorais tout de Kurosawa...

J'avais onze ans lorsque *Sanjuro* sortit. Après une journée à l'école où une immense cour se transformait en espace de débordement physique et imaginatif, je jouais souvent avec des copains jusqu'à la fermeture du portail d'entrée. Il m'arrivait aussi de retrouver des enfants de mon quartier dans un terrain vague, non loin de la maison, qu'on appelait, alors qu'il n'y avait pas de bambou mais un grand châtaignier au milieu, « bois de bambous ». Notre jeu favori consistait alors à inventer des scènes de combat de samouraïs en maniant une lance imaginaire ou en brandissant une petite branche d'arbre en guise de sabre, comme si nous étions d'authentiques personnages dans un film de cape et d'épée. Je me souviens qu'en jouant ces scènes je me glissais dans la peau d'un samouraï implacable nommé Sanjuro Tsubaki. Je me présentais à mes camarades en tant que Sanjuro et je m'imaginais dans une situation qui me mettait en face d'une foule de belligérants hostiles. Me croyant dans une situation semblable à la terrible scène de carnage où Sanjuro n'a d'autre choix, à cause d'une bêtise des jeunes prétentieux, que celui d'abattre dans un déchaînement de violence fulgurante tous les assaillants en poste, je criais : « *Anpo Hantaï !* » (à bas le Traité de sécurité nippo-américain !) pour écraser les ennemis imaginaires que je voyais chez mes camarades.

Je ne crois pas que ce soit la trace indélébile d'un rêve postérieur. L'enfant de onze ans que je fus était traversé de paroles ou d'échos de paroles captés à son insu par l'oreille qu'il tendait au monde tumultueux des adultes. Je n'étais qu'un enfant, un enfant heureux livré à une vie familiale et scolaire sans trouble, un enfant qui ne se souciait de rien, qui ne croyait qu'à la promesse des plaisirs, qui n'avait aucune peur de l'avenir très peu présent à l'horizon de sa conscience encore endormie. Cependant, il grandissait. Sa tête commençait à se peupler toujours davantage de mots dont il devinait plus ou moins le contour sémantique. « *Anpo Hantaï !* » en est un qui renvoyait au contexte politique ou géopolitique de l'année 1960. En janvier 1960, le Premier ministre Nobusuke Kishi — ancien membre du cabinet de Hideki Tojo, criminel de guerre traduit devant le Tribunal militaire international pour l'Extrême-Orient et exécuté — et son équipe se rendant en Amérique avaient signé le Traité de sécurité nippo-américain avec le président Eisenhower. Cet accord bilatéral allait nécessairement impliquer le Japon dans la politique et la stratégie militaires américaines, ce qui était en totale contradiction avec l'esprit pacifiste de la Constitution promulguée en 1946 à l'issue de la guerre catastrophique et qui rejetait la notion de droit à la belligérance. La ratification du Traité par le Parlement, intervenue en mai 1960 dans des conditions opposées à celles qu'exige le principe de la délibération démocratique, provoqua de gigantesques mouvements d'opposition de la part des syndicats, des étudiants et, d'une manière plus générale, d'une large partie de la population consciente de la crise de la démocratie. Pendant plus d'un mois, le Parlement fut le théâtre d'une très forte mobilisation atteignant parfois plusieurs centaines de milliers de manifestants. Le mot d'ordre crié alors par les contestataires était précisément « *Anpo Hantaï !* ». Le gouvernement de Nobusuke Kishi, s'appuyant sur le soutien de la « majorité silencieuse », tenta de maîtriser les foules en colère en faisant appel, au-delà des forces de l'ordre et de l'extrême droite traditionnelle, à certains notables de la mafia japonaise. Les troubles sociopolitiques, culminant avec la mort d'une étudiante militante, trouvèrent une issue en juin par la démission collective du gouvernement Kishi. Et, avec l'arrivée au pouvoir de Hayato Ikeda, les mouvements d'opposition s'effondrèrent rapidement.

C'est ce contexte, pour le moins agité et houleux, dont l'enfant de onze ans ignorait les tenants et les aboutissants, qui commandait les scènes de combat de samouraïs. J'étais un Sanjuro Tsubaki qui, criant à tue-tête « *Anpo Hantaï !* », croyait exterminer un troupeau d'ennemis vociférant des imprécations à son égard.

Le *ronin* ou samouraï déclassé sans maître de *Yojimbo* et de *Sanjuro* est, soulignons-le une dernière fois, un personnage *errant*. Il arrive seul de quelque part dans l'infini d'un paysage montagneux ou émerge du néant ténébreux d'une pagode désaffectée à l'écart des hommes et de leur vie ordonnée ; et, la besogne accomplie, il s'éloigne du troupeau humain et entame une marche solitaire vers un ailleurs indéterminé.

Errer, c'est, selon le *Trésor de la langue française*, « aller d'un côté et de l'autre sans but ni direction précise ». J'ai envie de modifier légèrement cette définition. *Errer*, c'est plutôt « aller *seul*, de préférence *à pied*, d'un côté et de l'autre sans but ni direction précise ». *Errer* implique en effet l'idée de solitude. C'est pour être seul qu'on décide de s'en aller, de marcher vers on ne sait où. Mais aucun marcheur ne saurait écarter ou supprimer pour toujours et de façon définitive l'idée d'un but à atteindre ou celle d'une direction à prendre. Marcher, c'est marcher nécessairement vers un lieu — *acceptable*, selon le mot de Raymond Depardon — qui, tôt ou tard, s'emparera de votre esprit. Notre *yojimbo*, une fois qu'il a pris note de la direction indiquée par la branche d'arbre lancée au hasard en l'air, s'est mis en effet à marcher d'un pas ferme et assuré dans le vaste champ désert.

I. BLESSURES

Ou les origines du désir d'errance

Défécation

J'avais six ans. C'était à Tokyo, un des premiers jours de l'école communale de Kamitakada que je découvrais, arrivant d'un autre district situé à l'autre bout de la ville. J'étais donc un enfant d'ailleurs. Mes parents étaient venus s'installer dans le quartier de Nakano où, cinquante-cinq ans après, j'habite toujours. Je me trouvais juste en face de la maîtresse, au premier rang d'une classe grouillant d'une cinquantaine d'élèves. On venait d'entendre la sonnerie de la fin des cours. Garçons et filles s'empressaient de ranger leurs affaires dans leur cartable. J'en fis autant. Je n'étais pas mécontent de ma journée. J'avais essayé de me glisser dans le groupe, de m'y faire une place, de gagner la confiance des autres en m'ouvrant humblement à leur bienveillance. Mais en même temps, fatigué de la tension permanente jamais relâchée, j'avais hâte de rentrer à la maison. L'école primaire qui se trouvait à quelques minutes à pied de la maison appartenait à un autre monde tant elle me paraissait loin du foyer familial. La maîtresse s'apprêtait à nous donner les consignes pour le lendemain.

Brusquement, j'eus mal au ventre, une colique insoutenable qui me déchirait le bas-ventre. La maîtresse, tranquillement, continuait à pérorer. Elle rappela les devoirs à faire à la maison ; elle parla d'une lettre d'information de l'école et de documents annexes à donner aux parents ; et, pour terminer, elle désigna toute une rangée d'élèves pour leur dire que c'était à eux, ce jour-là, d'assurer le ménage de la classe et des toilettes. La douleur s'apaisait par intermittence ; je formai l'espoir de la sentir disparaître en decrescendo ; je fus trahi. Elle se réveilla subitement et m'irrita pour me tordre très violemment les boyaux. Je cédai. La déjection fut silencieuse. Mais rien n'était plus difficile que de dissimuler ce qui s'était produit en moi, dans mon corps... Les émanations me trahirent. Un garçon assis derrière moi cria :

— Ça pue ! Ça pue !

— C'est lui qui a fait, c'est lui, dit un autre, me désignant du doigt.

— Non, c'est pas moi, dis-je instinctivement.

Ma voix, timide et affaiblie, n'arrivait pas à percer le chahut se dressant devant moi comme un monstre. Je tremblais de tout mon corps, sentais des gouttes de sueur poisseuses me descendre sur les joues. C'était au mois de décembre. Le vent du nord soufflait ; il fouettait les fenêtres, faisait siffler l'air. Le poêle à charbon était déjà éteint. J'avais pourtant anormalement chaud.

Imperturbable, la maîtresse dit aux enfants de se taire. Une très légère crispation, pourtant, se dessinait sur ses lèvres maquillées de rouge. Je ne me souviens plus du reste. Comment ai-je quitté les camarades de la classe ? La maîtresse m'a-t-elle parlé en devinant mon malaise et mon tourment ? Non, tout le reste de ce drame traumatique bascula dans l'oubli, à part deux plaies qui demeurent ouvertes, inguérissables, au plus profond de ma conscience. La première est, d'une part, le sentiment de rejet de moi-même, celui d'être comme un paria, qui s'est emparé de moi sur le chemin de retour à la maison en raison même des matières fécales dégoulinantes que je transportais sur moi sous un ciel plombé et, d'autre part et surtout, la manière dont je fus consolé, rendu à mon état d'enfant propre et ainsi ressuscité par les soins de ma mère. Plus de cinquante ans après, celle-ci ne s'en souvient pas ; mais moi, je suis capable de restituer la scène jusqu'au moindre détail, sa coiffure, la couleur des vêtements qu'elle portait alors, la posture inhabituelle que je devais adopter.

La seconde plaie qui me fait toujours mal par inter-mittence est le souvenir des regards des enfants qui me torturaient, me martyrisaient, me perçaient le corps. Je ne voyais pas mes persécuteurs, car j'étais au premier rang. Mais je sentais et je savais que tous les regards sans aucune exception étaient braqués sur mon dos courbé. Ces regards d'une hostilité una-nime dirigés ostensiblement vers un nouveau venu, une sorte d'étranger égaré, étaient comme autant de coups d'épée pour lui qui supportait, tout en la niant effrontément et vainement, la honte d'être la cause d'une odeur malfaisante.

La colique et la diarrhée qu'elle entraîne, c'est ma petite madeleine. La douleur au ventre me ramène chaque fois à celle que j'ai supportée sans succès dans cette sombre salle de classe, au milieu d'une bande de loupiots sans pitié. J'étais un étranger étrange qu'on cherchait à éloigner à cause de ma monstruosité miasmatique. Seul contre tous. Souffrant seul dans le silence des cabinets, je revis le cauchemar obsédant d'une souillure diarrhéique qui m'a mis au ban de la société.

Est-ce à cause de cette commotion initiale violente que je me trouve souvent dans mes rêves en train de me débattre au fond d'une fosse d'aisances ? Est-ce à cause de cela que j'arrête souvent de respirer nuitamment, phénomène que la médecine nomme « crise d'apnée » ? Est-ce à cause de cela que, bien des années plus tard, lorsque j'ai lu les *Confessions* de Rousseau, je fus plus que sensible à des épisodes comme celui du *peigne cassé* ou celui du *ruban volé* ? L'écriture de Rousseau me troubla presque physiquement ; elle me prit aux tripes.

Dans ces deux scènes essentielles auxquelles l'écrivain prête un ample développement narratif, le jeune Jean-Jacques fait en effet l'expérience d'une douloureuse exclusion, d'un pénible isolement. Dans le premier récit, le héros est accusé à tort d'avoir brisé un peigne appartenant à Mlle Lambercier, la sœur de son tuteur, le pasteur Lambercier. Il se rend compte que la conviction d'innocence qu'il porte dans son for intérieur n'est pas transmissible aux autres. La *transparence* des consciences est à jamais perdue. L'enfant victime est en exil. Il est séparé du monde des adultes. Dans le second récit, l'adolescent, qui était entré au service d'une dame en qualité de laquais, est également sur le banc des accusés. Il a volé un petit ruban. Comme il ne le cachait pas, on le lui a trouvé bientôt.

Une assemblée nombreuse se forme et les accusations fusent contre lui. Il se trouble et dit, en balbutiant et en rougissant, qu'il l'a reçu de la part de Marion, la cuisinière.

La position du héros, dans ce second récit, est différente de celle qu'il occupe dans l'histoire du peigne cassé. Dans celle-ci, il est innocent, mais son innocence n'est pas partagée, tandis que pour ce qui est du petit ruban, Jean-Jacques en est bel et bien le voleur. Il a volé le ruban avec l'intention de le donner à Marion dont il était amoureux. C'est l'amour qui a conduit l'amoureux à cet acte abject, celui de diffamer la personne aimée. Le sentiment, entravé et contrarié par les obstacles de la société, ne parvient pas à entrer en vibration avec celui d'autrui. Le mécanisme complexe du sentiment amoureux ne s'annonce dans sa vérité ni à la femme désirée ni à la société réprobatrice. Jean-Jacques est ainsi doublement expulsé : il est séparé à la fois de la société environnante qui le juge fautif et de la personne à qui il a voulu se donner par l'offrande d'un objet symbolique et que, finalement, il finit par perdre à la suite d'une dénonciation injuste et injustifiable.

Par son état d'exclu subi, par sa situation d'élève honni en rupture avec la société de ses semblables, mais aussi par son désir de se faire aimer d'eux, le malheureux enfant de six ans, qui a fait caca dans sa culotte sous le regard agressif et moqueur de toute la classe, ressemble au Jean-Jacques qui souffre de l'accusation imméritée des Lambercier. Mais il ressemble aussi, d'une certaine manière, à cause de l'ignominie niée qui l'arrache à la collectivité et le plonge dans un isolement intolérable, au voleur du ruban, ce malheureux jeune voleur qui se voit condamné de sa propre faute, d'une part, à un *exil* intérieur vis-à-vis de Marion et, d'autre part, à une expulsion pure et simple de la part de la maisonnée.

Pourquoi, dès le début de mon entrée dans la langue française, me suis-je intéressé à l'auteur du *Discours sur les sciences et les arts* ? Pourquoi cet intérêt s'est-il transformé en une véritable fascination sitôt que je suis passé à la lecture des premières pages des *Confessions* ? Pourquoi cette fascination ne s'est-elle jamais démentie ? Il y a là un mystère que je ne saurai jamais complètement élucider. Mais dans les profondeurs où m'a conduit l'écriture de ces lignes, dans la zone cachée de l'âme où prolifèrent silencieusement les rêves, je crois apercevoir les racines de mon attachement à ce Genevois du XVIIIe siècle si éloigné, si lointain, si effacé, mais en même temps si présent, si près de moi.

Épreuves ensanglantées

J'avais passé trois ans et quelques mois à Paris à l'École normale supérieure de la rue d'Ulm en qualité de pensionnaire étranger. J'avais soutenu à l'université Paris-VII une thèse de doctorat sur l'écriture à la première personne de Rousseau. Je venais de rentrer à Tokyo. J'étais à la recherche d'un poste d'enseignant à l'université comme tous les étudiants fraîchement docteurs. On me conseilla de faire une communication dans un des deux congrès annuels organisés par une association de professeurs de français. C'était, me disait-on, une occasion de se faire connaître... Je présentai donc un exposé d'une vingtaine de minutes tiré de ma thèse au congrès de printemps qui eut lieu à Tokyo. Le congrès d'automne devait se tenir dans une ville de province. Voyager en Shinkansen (TGV japonais) était très coûteux pour un sans-emploi. Pas la peine de dépenser tant de sous pour parler à peine vingt minutes. De toute façon, ce n'est qu'un rite de passage…

Mon exposé fut retenu pour être publié en français sous la forme d'un article dans la revue de l'Association. Je fis donc de mon petit exposé un article en bonne et due forme et l'envoyai en toute confiance au secrétariat de l'Association. Plusieurs semaines s'écoulèrent. Puis, un jour, je reçus un appel du secrétaire de la revue. Une voix d'homme très polie, un peu étranglée, me donna rendez-vous pour que j'aille récupérer les épreuves de mon article.

Je fus reçu par un jeune homme à fines moustaches. C'était celui qui m'avait téléphoné, je le reconnus à sa voix étranglée. Il me servit une tasse de thé vert et dit en me passant une grosse enveloppe :

— Voici les épreuves de votre texte. Un *grand* professeur du comité de rédaction l'a lu avec attention et lui a apporté des corrections. C'est marqué en rouge. Vous verrez. Pourriez-vous me le renvoyer d'ici une dizaine de jours ?

Il me semblait insister sur le mot *grand* en traînant sur la voyelle nasale. Je le remerciai de son accueil et me retirai.

À la maison, je découvris les épreuves qui exhalaient encore les odeurs enivrantes de l'encre mêlées à celles du papier. Je les feuilletai les unes après les autres. Toutes les pages étaient criblées d'annotations en rouge difficilement déchiffrables.

— Qu'est-ce qui se passe ? me demandai-je, intrigué.

Je repris le début. Je commençai à lire avec une attention extrême tout ce qui avait été écrit par le *grand* professeur. C'était une écriture peu soignée, insolente, qui donnait l'impression de refuser l'attention qu'elle requérait pourtant. Je parvins néanmoins à comprendre toutes les notes laissées dans les marges. Du haut de son piédestal, le *grand* professeur m'enseignait comment il fallait écrire en bon français. Mais aucune, strictement aucune remarque n'était acceptable. Il remplaçait des mots justes par des mots inappropriés ; il perturbait des agencements de mots mûrement réfléchis par des modifications malvenues. Bref, il détruisait mon style. Le pire, c'est qu'il introduisait des fautes de grammaire... Je me rappelai ce qu'un ami m'avait dit au sujet du cambriolage dont il avait été victime. Il avait trouvé d'énormes matières fécales dans sa salle de bains. Il avait été atteint, me confia-t-il, dans son intimité par ces immondices nauséabondes. Je souhaitais avoir un travail pour lequel j'avais déployé tous les efforts possibles et nécessaires, pour lequel je me sentais fait, pour lequel je croyais avoir fait mes preuves. Pour cela, il me fallait être admis par les notables du milieu des francisants ; il me fallait adhérer et appartenir à la corporation des professeurs de français. Et un des premiers pas pour m'y trouver intégré était précisément sinon accepter du moins composer avec ces ordres castrateurs déguisés en conseils bienveillants.

Que faire ? Quel est le comportement attendu,

quelle est l'attitude à adopter pour un jeune chercheur en quête d'un poste d'enseignant ?

Inutile de préciser que modifier mon texte dans le sens des conseils déplacés, voire erronés du *grand* professeur était inenvisageable. Comment lui faire accepter mon article tel qu'il était sorti de mes mains sans le froisser ? Comment rejeter toutes ces arrogances autoritaires infondées tout en respectant celui qui me les imposait ? Telle était la tâche difficile qu'il me fallait accomplir, tel était le défi impossible qu'il me fallait relever.

J'allai voir Maurice Pinguet. Celui-ci, alors lecteur à l'université de Tokyo, possédait à lui seul plusieurs titres et qualités incontestables et incontestés : ancien élève de l'École normale supérieure, ancien professeur à l'université Paris-III-Sorbonne Nouvelle, ancien directeur de l'Institut franco-japonais, ami de Michel Foucault, proche de Roland Barthes qui lui avait dédié *L'empire des signes*. J'avais fait sa connaissance quelques mois auparavant ; je lui avais donné un coup de main au moment où il finissait son livre majeur *La mort volontaire au Japon*. J'expliquai à Maurice ce qui me tombait dessus. Je lui montrai mon texte ; il le lut et il m'assura qu'il n'y avait strictement rien à changer, que les annotations en rouge étaient déplacées, hors de propos.

Je retournai donc les épreuves, sans états d'âme, au secrétariat de l'Association, après avoir barré systématiquement les impuretés extérieures. J'y joignis une lettre adressée au *grand* professeur qui, dans une langue polie et respectueuse, le remerciait de ses précieuses et instructives remarques, mais, simultanément, lui faisait humblement part de ma décision de publier l'article dans son état initial, en me conformant à l'avis du professeur Maurice Pinguet, ami autant que conseiller.

Je fus publié. Je ne reçus aucune réponse du *grand* professeur.

La laideur et l'horreur du pouvoir castrateur exercé par un supérieur sur un inférieur et fondé essentiellement sur sa supériorité positionnelle dans le cadre d'une structure communautaire hiérarchisée, c'est cela qui m'a été révélé dans cette petite anecdote dont j'ai gardé un souvenir impérissable en raison de la violente répulsion qui m'a saisi et qui ne m'a jamais lâché. J'ai de l'aversion, depuis lors, pour ceux qui tirent un plaisir malsain de leur position de supériorité supposée. Pullulants et envahissants, ils sont partout présents dans la société. Leur pouvoir est comme un condensé inavoué de la domination archaïque de la société militaro-impérialiste.

Je me suis juré de ne jamais ressembler au *grand* professeur, de ne jamais profiter de ma position quelle qu'elle soit pour exercer un quelconque pouvoir, de tout faire pour éviter, autant que faire se peut, de *faire partie* d'une structure de pouvoir ou, devrais-je dire plutôt, de ne jamais me laisser séduire par la psychologie triomphante et orgueilleuse d'un soldat endurci exerçant sur un être faible, hiérarchiquement inférieur, une violence arbitraire dont la légitimité s'abrite toujours derrière l'autorité d'une instance supérieure. Être seul m'a toujours paru préférable, même au prix d'une sombre mélancolie qu'entraîne souvent l'isolement choisi et voulu.

Rédacteur en chef

Un autre souvenir semblable me revient. Cela remonte toujours à l'époque où je n'avais pas encore de situation stable.

Un jour, je fus contacté par le service culturel de l'ambassade de France à Tokyo. Qui m'a mis en relation avec l'ambassade ? Pourquoi et comment mon nom a été communiqué au personnel du service culturel ? Je ne me rappelle rien des circonstances de mon premier contact avec l'ambassade. Toujours est-il qu'un jour de printemps, aux alentours de la semaine d'or (une période de la fin avril au début mai où se succèdent plusieurs jours fériés), je frappai à la porte du petit monde français en plein cœur de l'immensité tokyoïte.

Je fus reçu par le conseiller culturel, le célèbre écrivain J. C'était un homme aux cheveux gris argenté qui se distinguait par son attention et son élégance vestimentaires. Il portait en effet un costume beige foncé très beau, sur lequel se détachait le vert vif d'une cravate à pois Kenzo et qui refusait, par l'harmonie des tons et le luxe des matières textiles, de se mêler à l'uniformité grise ou bleu marine de l'habillement des salariés japonais.

Le conseiller culturel me parla de son projet de publier un *Bulletin du livre français* à l'attention des éditeurs japonais pour leur faire connaître une sélection d'ouvrages susceptibles d'intéresser leur lectorat. Et, pour effectuer une telle sélection, il fallait bien évidemment le concours d'un Japonais sensible au paysage du livre et de l'édition dans les deux pays. Une longue conversation s'engagea et se développa autour du livre et de la culture en général.

Puis il y eut comme un trou dans la conversation. L'écrivain s'en empara pour me demander si j'acceptais de m'occuper du *Bulletin* et d'en être le rédacteur en chef. Il me détailla les conditions financières qui étaient plus qu'alléchantes pour un titulaire d'une thèse sans emploi. J'acceptai l'offre sans hésitation.

Le travail commença aussitôt. Je fus mis en relation avec un jeune coopérant qui se chargeait de la logistique de l'affaire. Je sélectionnai des livres qui suscitaient ma curiosité et mon intérêt personnels ; je fis une petite présentation en japonais pour chacun des livres retenus à partir des argumentaires des éditeurs qu'on mettait à ma disposition. C'était plutôt intéressant et même utile, car cela permettait d'établir une liste de lectures à mon usage personnel. Une dizaine de jours après, le premier numéro du *Bulletin du livre français* sortit. L'éditorial du conseiller culturel sur la première page expliquait la raison pour laquelle il avait pris l'initiative de créer le *Bulletin* et évoquait enfin ma nomination à la tête de la rédaction. Jusque-là tout semblait normal, tout semblait marcher comme sur des roulettes. Cependant, peu après, un petit mot, une petite allusion au détour d'une conversation avec un *grand* professeur (ce n'était pas le même), un notable de la corporation des enseignants de français, me fit comprendre qu'en tant que subalterne sans emploi je n'aurais pas dû accepter cette proposition, assez prestigieuse au demeurant, de l'ambassade de France et que, si je l'avais consulté, il m'aurait fortement déconseillé de m'y engager, car, pensait sans doute ce *grand* professeur, cela risquait de gâcher prématurément mon avenir professionnel.

S'agissait-il là d'un conseil d'ami qui partait d'une réelle sympathie à mon égard ? Ou était-il froissé par le fait que je ne lui avais pas demandé conseil ? Était-il sourdement en colère contre un jeune inférieur qui ne savait pas se comporter selon les règles de conduite implicites ? Je l'ignore. Quoi qu'il en soit, j'avais fait une bêtise. Une faute grave. Quelques années plus tard, lorsque j'étais devenu professeur titulaire dans une faculté, un collègue sensiblement plus âgé que moi, mais que je considérais plutôt comme un ami, me déclara un jour, aidé par la fonction libératrice de paroles propre au saké, que *je ne faisais que des choses qui détonnaient*.

Je n'abandonnai pas le *Bulletin*. J'y travaillai jusqu'à sa disparition intervenue environ un an après. Le *Bulletin* mourut en effet avec la fin du séjour de l'écrivain J. Le nouveau conseiller culturel le supprima.

Boîte à couture

À l'école primaire, quand j'eus dix ans, un nouveau cours entra dans ma vie : travaux domestiques. Filles et garçons devaient désormais acquérir les rudiments des connaissances pratiques, le savoir-faire indispensable à la construction d'une vie familiale ordonnée et équilibrée : cuisine et couture principalement. La maîtresse nous annonça que, pour les séances de couture, chacun devait avoir une boîte à couture

avec tous ses petits accessoires et que l'école organi-
sait un achat collectif pour une boîte en plastique à
l'usage pédagogique avec tout le matériel nécessaire
dedans. Elle nous distribua ensuite une feuille d'inscription et nous demanda de la donner à nos parents
en leur expliquant ce que nous venions d'entendre.

C'est ce que je fis. J'apprendrais donc à coudre ?
Quelle drôle d'idée ! Mais ce serait sûrement amu-
sant ! Qu'est-ce que je ferais ? Un futon pour Shiro, le
chiot blanc ! Oui, un futon pour lui !

Shiro était un chiot tout blanc dont je m'occupais
à l'insu de mes parents dans un bois de bambous
près de la maison. Quelques enfants du quartier
étaient complices. Nous apportions à notre ami
canin des restes de nourriture chapardés.

Je pensais tout naturellement que ma mère rempli-
rait la feuille d'inscription. Chacun allait rapporter à
l'école dès le lendemain le bon de commande découpé
pour avoir une belle boîte à couture identique à celle
des autres. Ma mère parcourut le message de la maîtresse. Sur son visage se dessina alors, l'espace de
quelques secondes, un air pensif. Elle me dit enfin
qu'elle avait une petite boîte en fer-blanc qui pourrait
très bien faire l'affaire.

— La jolie petite boîte de biscuits secs. Elle est vide
maintenant. Les biscuits, on les a mangés…

— Mais la maîtresse nous a dit qu'on achetait une
boîte à couture à l'école !

— Mais si on a à la maison quelque chose de semblable, c'est pas la peine, tu comprends ? J'ai en plus
tout ce qu'il faut pour mettre dedans. Je vais la chercher… Tu verras !

Ma mère revint avec une boîte en fer-blanc très

colorée. On voyait sur le couvercle un vaste paysage de montagnes.

— Tu vois, c'est joli, c'est petit. Je crois que c'est parfait pour une boîte à couture. Ça te plaît ?

Je ne répondis pas. *Ah là là, ça se passe mal. Je vais être le seul à avoir cette fichue boîte de biscuits...*

— Mais je vais être le seul, maman. Tout le monde achète le truc de l'école. Puis, elle est un peu cabossée, ta boîte... Je ne veux pas qu'on se fiche de moi !

J'avais envie de pleurer, mais je faisais tout pour m'en empêcher.

— Mais non, c'est rien ça... Je pense que ça fera une très jolie boîte à couture. On demandera à papa son avis ce soir. D'accord ?

Mon père, évidemment, approuva sa femme. Rien ne justifiait à ses yeux l'achat d'une boîte à couture recommandée par l'école puisque sa femme pouvait donner à son fils quelque chose de semblable qui pouvait contenir tout ce que l'institutrice demandait de mettre.

— Tu as besoin d'une boîte pour y mettre tout ce qu'il faut pour coudre. C'est une chance qu'on ait cette boîte ! Elle est belle en plus ! Pourquoi dépenser de l'argent inutilement ?

— Mais, papa, je vais être le seul à avoir une boîte bizarre comme ça... On me demandera pourquoi je ne fais pas comme les autres... J'aime pas ça...

Je sanglotais presque.

— Tu as une boîte à couture pour apprendre à coudre. Ce n'est pas pour la montrer aux autres, ni pour la comparer avec celles des autres. La seule chose importante, c'est que tu as tout ce qu'il faut dans cette boîte pour bien apprendre à coudre, pour pouvoir mettre en pratique les instructions de la maîtresse…

C'était le dernier mot de la conversation familiale, décisif, définitif, sans appel, avec tout le poids de l'autorité paternelle, imperceptible mais réelle.

Le jour de la première séance de couture arriva.

Ma mère avait confectionné un sac pour y mettre la fameuse boîte. C'était un bien joli sac qu'elle avait réussi à faire de plusieurs vieilles pièces de tissu avec des motifs d'animaux et de fleurs dessus. La maîtresse nous demanda de mettre notre boîte à couture sur la table. Nous étions une cinquantaine dans la classe, assis deux par deux à une table oblongue. Les autres placèrent devant eux leur boîte en plastique bleu clair avec un couvercle dodu. Toutes les boîtes étaient identiques. Elles blessaient ma vue. Aucune autre n'émergeait. Chacun avait sa petite boîte bleue qui brillait d'un éclat singulier propre à un produit neuf. Elle me parut beaucoup plus petite, compacte que mon ancienne boîte à gâteaux secs qui, à mes yeux, manquait singulièrement de rondeur. J'avais comme un sentiment de honte irrépressible pour sa taille excessive et son orthogonalité. Enfin, je sortis à mon tour ma boîte en essayant de faire en sorte qu'elle ne fît pas un bruit métallique susceptible d'attirer l'attention de mes camarades. Ma voisine — chaque garçon était placé à côté d'une fille — la regarda furtivement. Ou plutôt, je sentis son regard se poser sur mon étrange objet — mais, était-ce vrai ? J'avais chaud ; j'étais enveloppé comme d'une très épaisse couverture de chaleur. Tout à coup, une percée de douleur me déchira le bas-ventre. Je me troublai.

Elle ne persista pas cependant ; elle s'affaiblit, au contraire, peu à peu pour disparaître enfin. Ouf.

La maîtresse nous dit d'enlever le couvercle. Elle souhaitait vérifier si nous avions notre petit nécessaire de couture. Chaque fois qu'elle nommait une pièce, nous devions la sortir de la boîte pour la poser sur la table. Une paire de ciseaux, des aiguilles, un dé, une bobine de fil blanc, une autre de fil noir… Elle se promenait dans les rangs. Pas à pas. En jetant un regard rapide sur les choses qui s'alignaient. Elle venait vers moi. Et elle s'arrêta juste à mon niveau.

— Oh, que c'est joli ! Ta maman a eu la merveilleuse idée d'en faire une boîte magique en la recouvrant avec du joli papier ! Tu peux la montrer aux autres, ta boîte ?

J'avais vu le couvercle ; j'y avais vu les motifs d'animaux et de fleurs qui étaient d'ailleurs reproduits à l'identique sur le sac en tissu. Mais rien ne m'avait frappé, rien ne s'était projeté sur mon écran oculaire. C'est la voix toute joviale de la maîtresse qui me faisait enfin comprendre la tendre et subtile attention de ma mère. J'arborai le couvercle orthogonal.

Quelques décennies se sont écoulées depuis. Mais j'entends encore sa voix. Elle s'appelait Mme Muramatsu, la maîtresse. C'était une petite dame habillée en rose qui, à l'occasion, poussait des éclats de rire retentissants.

Une table ronde

Au printemps 1989, une table ronde sur le thème de « La Littérature et la Révolution » fut organisée dans le cadre du congrès annuel d'une importante association de chercheurs en littérature française. Le bicentenaire de la Révolution française était incontournable. On me proposa d'en être partie prenante. J'acceptai et je présentai une communication qui était une tentative de lecture croisée entre *La Nouvelle Héloïse* de Rousseau d'une part et *Ferragus* de Balzac de l'autre. Comment la fracture révolutionnaire et surtout les bouleversements sociopolitiques qu'elle engendre produisent-ils des effets dans le champ littéraire ? Telle était la question que je m'étais posée.

Lors du débat qui suivit les exposés, un *grand* professeur, spécialiste de Balzac, prit la parole et m'attaqua, je dirais même me rit au nez depuis la hauteur d'autorité qu'il s'arrogeait du fait même de son statut de spécialiste de Balzac, au sujet de ma manière de relever certains motifs, certains traits dans le roman de Balzac, destinée à les mettre en résonance avec cette somme romanesque d'avant la Révolution qu'est *La Nouvelle Héloïse*. Je sentis son animosité à mon égard. Pour lui et sans doute pour tous les autres, étant donné que j'avais fait une thèse sur Rousseau, j'étais classé et catégorisé comme dix-huitiémiste, spécialiste de l'œuvre de Rousseau, rien de plus, rien de moins. Pourquoi sinon ce ton hautain, moqueur et même méprisant ? Le *grand* professeur spécialiste de Balzac s'autorisait à me traiter d'ignare et ainsi à me rabaisser et même à m'humilier publiquement. Oser parler de Balzac, ne serait-ce qu'à titre de pièce de comparaison, était-ce une incursion intolérable ? Mon geste était-il perçu comme celui d'un usurpateur ? Je ne faisais pas partie du groupe des balzaciens qu'il dirigeait, ni d'ailleurs d'aucun autre groupe, d'aucune espèce de collectif de chercheurs. Était-ce mal d'être seul ?

Le débat tourna court. Il y avait de quoi. Je n'y voyais rien de constructif, aucun élément permettant d'avancer dans l'exploration de mon interrogation initiale portant sur la manière dont un événement civilisationnel aussi important que la Révolution française marque l'écriture romanesque dans sa forme aussi bien que dans son contenu. L'étalage de connaissances disparates auquel il s'était livré arrêta net toute possibilité d'échange. Une version écrite de mon exposé, avec les articles des autres orateurs, allait être publiée dans une revue de sciences humaines et sociales de notoriété publique. En descendant de la tribune, je croisai le *grand* professeur. Je lui dis humblement :

— Mon texte va être publié dans un prochain numéro de la revue *Paradigmes*, que vous connaissez. Vous pourriez peut-être y publier votre critique… Ce sera pour moi l'occasion d'apprendre des choses. Je vous en remercie par avance.

C'était l'expression maximale de mon insoumission silencieuse et inflexible. Il ne répondit pas. Une légère crispation mêlée d'un rire forcé se dessina sur son visage. J'étais comme un conscrit de l'armée impériale d'autrefois où les anciens se complaisaient à violenter les recrues pour un oui, pour un non. Je me rappelai les épreuves ensanglantées de mon premier article publié plusieurs années auparavant, épreuves souillées autant que criblées d'annotations aberrantes, de méchancetés sournoises et castratrices.

Dégoûté d'avance de la fonction de censeur que

j'aurais pu remplir quelques années plus tard de par
mon ancienneté acquise, je me suis, peu à peu et avec
détermination, éloigné de la corporation des enseignants de français pour ne plus y mettre les pieds. J'ai
opté pour l'isolement, la solitude, le renoncement,
l'*errance*.

II. INCORPORATIONS
Ou les tentatives d'errance

Cérémonie

Cela se passait dans la cour d'une école primaire de filles. Les enfants, du CP à la septième, toutes habillées en uniforme bleu marine avec un col marin, s'y trouvaient rassemblées, selon l'ordre croissant de taille dans chaque classe, de façon qu'elles forment un ensemble parfaitement ordonné. Dans cette foule qui tendait à effacer les identités, on apercevait une petite fille d'environ onze ans qui se distinguait de ses camarades par la blondeur de ses nattes frôlant les épaules. C'était un jour ensoleillé de la fin du mois de mars. Les cerisiers plantés sur le talus qui surplombait la voie ferrée étaient presque en pleine floraison. La cérémonie de diplomation commençait : les septième allaient recevoir leur diplôme de fin d'études primaires. Elles ne reviendraient plus dans cette école ; elles passeraient au collège dès les premiers jours du mois d'avril.

Le discours de félicitations de la directrice, semblable à celui de l'année précédente et des autres années, aussi court mais aussi interminable que celui qu'elle avait l'habitude de prononcer dans toutes les occasions protocolaires, s'achevait enfin. Le directeur des études, maître de cérémonie, déclara alors solennellement :

— En garde ! C'est le moment maintenant de hisser le drapeau national et de chanter en chœur *Votre règne*.

Des haut-parleurs accrochés aux quatre coins de l'immeuble de l'école commença à se répandre une musique un peu monotone et apathique. Elle envahit bientôt tout l'espace de la cour en suivant en crescendo la ligne mélodique ascendante. La petite fille aux nattes blondes reconnut la musique qu'elle avait entendue à la cérémonie finale de chaque session de sumo. Les tournois de lutte traditionnelle étant transmis en direct à la télévision nationale, elle eut plusieurs fois l'occasion de l'entendre en compagnie de son grand-père qui aimait tous les sports de combat ignorant la supercherie.

Les élèves dans la massivité bleu marine de leur uniforme se tenaient là, sages et immobiles. Certaines filles levaient les yeux vers le drapeau au disque solaire qui montait tout doucement ; d'autres regardaient dans le vide ou détournaient leur vue ; quelques-unes, sans doute curieuses de savoir ce que les autres faisaient à ce moment précis, faisaient bouger les yeux à droite et à gauche ; plusieurs baissaient les paupières. Du haut de la petite tribune placée du côté de l'entrée des professeurs, le maître de musique les surplombait ; il gesticulait énergiquement en battant la mesure. De petites et fragiles voix s'élevaient, largement dominées par l'hymne national artificiellement amplifié, craquelé çà et là par la défaillance du procédé technique. Maîtres et maîtresses se glissaient parmi les élèves de leurs classes respectives et se déplaçaient lentement en jetant leur regard précautionneux sur chacun des visages juvéniles. Monsieur D., qui, par sa jeunesse et son caractère à la fois jovial et expansif, avait l'allure d'un grand frère aimé, s'arrêta net devant la petite fille aux nattes blondes et la dévisagea l'espace d'une seconde sans que celle-ci perçût son coup d'œil furtif. Puis il reprit sa marche lente et rythmée comme s'il se faufilait dans la peau d'un chef d'État qui salue les soldats formant une haie d'honneur.

Le drapeau hissé, la musique se mourait. Le silence immobile se relâchait. Chuchotements ? Respirations libérées ? Frôlements de jupes ? Un indescriptible bruissement se propagea et couvrit toute l'assemblée. C'était la fin de la cérémonie. Les haut-parleurs crachèrent alors une musique entraînante comme une marche militaire. Tout fut englouti par l'air bruyant. Les enfants, toujours impeccablement alignées en rangs, se mirent à lever et à poser les pieds sur place l'un après l'autre, et esquissèrent enfin des pas cadencés sur un coup de sifflet donné par le professeur de gymnastique.

La cour se vida. Le drapeau au disque solaire s'agitait faiblement dans l'air au gré du vent.

Quinze années s'écoulèrent. La petite fille aux nattes blondes — appelons-la Émilie par exemple, ou Julia, Aurélia, Clémence, comme on voudra, car ce n'est pas la peine de l'enfermer dans une fixité identitaire —, devenue une jeune femme active et épanouie dans une boîte multinationale, eut l'occasion de revoir certaines de ses camarades d'autrefois réunies autour de monsieur D. toujours fidèle au poste. Le jeune instituteur jovial et expansif était devenu entre-temps un homme posé avec une barbe courte et cotonneuse, portant des lunettes à monture en titane fine et ronde, inspirant confiance et sympathie par une tranquille sérénité intellectuelle qui émanait de toute sa personne. Entouré de ses anciennes élèves, il rayonnait de joie et d'un éclat de jeunesse retrouvée.

La soirée fut gaie. Après le dîner, la plupart des convives tirèrent leur révérence. Quelques-unes, dési-reuses de prolonger la soirée avec monsieur D., allèrent dans un café-bar. La nuit avançait. Vers onze heures et demie, il ne restait plus qu'Émilie et une autre qui tenaient compagnie à leur ancien maître. Lorsque la conversation vint à tourner autour des évé-nements réjouissants ou ennuyeux qui scandaient la vie de l'école : cérémonie d'entrée, exposition des œuvres de vacances, zoo à l'école, fête du sport, Noël, cérémonie de diplomation, etc., monsieur D., profi-tant d'un élan particulier insufflé par le verre de Chivas qu'il ne lâchait pas, s'adressa à Émilie de but en blanc :

— Vous ne chantiez jamais, vous, *Votre règne*. Vous vous souvenez ? Nous, on était chargés de vous surveiller, de vérifier si vous chantiez réellement et sérieusement l'hymne national. C'était la consigne qui venait d'en haut. C'est d'ailleurs toujours comme ça et même de plus en plus. C'est terrible. On faisait, on était obligés de faire la police… Si on voyait quel-qu'un qui ne chantait pas, qui n'ouvrait pas la bouche, on était censés lui faire des remontrances et lui dire de chanter en y mettant tout son cœur.

— C'est à cause de la loi sur les Drapeau et Hymne nationaux, n'est-ce pas ?... Elle date de quand, déjà ?

— 1999, répondit immédiatement monsieur D.

— Ah, c'est donc un peu après notre départ de l'école primaire : on était déjà au collège à ce moment-là. Mais cette consigne de surveillance des élèves donnée aux enseignants était à coup sûr un des symptômes indicateurs de l'accélération du processus qui a abouti à l'adoption de cette loi.

— Tout à fait. Mais ce n'est pas ça que je voulais dire... J'avais donc remarqué que vous aviez toujours la bouche fermée lorsqu'il fallait chanter en chœur *Votre règne*. J'étais embêté... Qu'est-ce que je devais faire ? Vous le dire ou pas ? Alors je suis allé voir le directeur des études, monsieur T., qui s'occupait de cette question. Vous vous souvenez de monsieur T. ?

— Oui, vaguement. On n'avait pas de cours avec lui. On ne le connaissait pas bien. Il était loin de nous... Mais mes parents m'ont souvent parlé de lui...

— Je suis donc allé voir monsieur T. Je lui ai dit : voilà, Émilie ne chante pas *Votre règne*. Qu'est-ce que je fais ? Je lui dis qu'il faut faire comme tout le monde, qu'il faut chanter de tout son cœur ? Monsieur T. a d'abord enlevé ses lunettes ; il a fermé les yeux et il a appuyé sur ses paupières avec les trois doigts : le pouce, l'index et le majeur, comme s'il s'offrait un moment de pression digitale shiatsu pour se soulager de la fatigue accumulée. Puis, il m'a dit d'une voix un peu étouffée qui accompagnait un petit soupir échappé : non, ne faites rien, laissez tomber... Je crois qu'il n'aimait pas faire la police... comme moi.

— Il n'est plus à l'école ?

— Il est parti à la retraite deux ou trois ans après.

J'aimerais bien moi aussi, mais, hélas ! je ne peux pas encore…

Mon père, soldat

Lorsque Émilie, la petite fille aux nattes blondes d'il y a quinze ans, me fit le récit de ses retrouvailles avec monsieur D., je repensai à ma propre histoire concernant le drapeau au disque solaire. Si Émilie n'a pas ouvert la bouche durant la cérémonie de diplomation de son école primaire, c'est parce qu'elle portait un malaise qui l'empêchait de se reconnaître dans l'image du Japon que *Votre règne* véhicule. Ce malaise, c'est aussi le mien qui vient de celui de mon père. Celui-ci, né en 1913 et appartenant donc à la génération qui a le plus souffert des débordements meurtriers du fascisme impérial pendant toute la période de la « guerre de Quinze Ans » (1931-1945), faisait partie des Japonais plutôt rares qui refusaient de se reconnaître dans l'Empire du Grand Japon symbolisé par le fameux drapeau national.

Ce qui caractérise fondamentalement cette période de la « guerre de Quinze Ans », c'est, d'une part, l'expansion coloniale de l'Empire et l'enlisement de la guerre d'invasion et, d'autre part, l'instauration du régime militaro-fasciste fondé sur l'élimination systématique des libertés publiques. Les deux phénomènes allaient de pair. D'une certaine manière, c'est le rétrécissement de la sphère des libertés individuelles qui entraînait dans un même mouvement le déploiement des forces militaires dans le continent chinois. Deux dates, entre autres, méritent d'être rete-

nues : 1937 et 1941. 1937, c'est le début d'une gigantesque opération de contrôle mental qu'on appelle le
« Mouvement national de mobilisation spirituelle »
dont l'objectif affiché consistait à imposer à tout un
chacun le sacrifice de soi au profit du dévouement
infini à l'État confondu avec la personne divine de
l'Empereur. Quant à l'année 1941, c'est celle où sont
entrées en vigueur les nouvelles dispositions de la
« Loi sur la préservation de l'ordre public », qui rédui-
sait à néant la dissidence politique. Bref, ce sont deux
moments emblématiques de la période sombre de la
dictature impériale. Et — est-il besoin de le dire ? —
c'est *ce Japon-là*, précisément, qu'exprime et symbo-
lise le drapeau au disque solaire.

Mon père a vécu plusieurs années en Mandchourie
en qualité d'interprète, m'avait-il dit, auprès des prisonniers russes. Simple soldat dans la *glorieuse* armée
de terre du Guandong, il était bien placé pour obser-
ver le culte et la pratique de la violence militariste. Et
il voyait bien que c'était l'autorité impériale qui les
justifiait en dernière instance. Tous les jours passés,
c'étaient des jours qui n'en finissaient pas de s'écou-
ler dans la violence, dans la peur de la violence, dans
cette violence qu'est la peur constamment cultivée.
Mais, en dépit de cette situation quasi carcérale, il
tenait, comme à la prunelle de ses yeux, à son inté-
grité morale tout autant qu'à son indépendance intellectuelle, même si cela donnait à certains aînés
orgueilleux et outrecuidants l'occasion rêvée de lui
infliger une sadique maltraitance physique. Il fallait
supporter l'insupportable. L'attente d'un jour meilleur
que rendrait peut-être possible la disparition de *ce
Japon-là* donnait à mon père une faible lueur d'espoir

dans sa posture d'endurance intérieure. Être demeuré
— ou « avoir bouffé et pissé » comme le dirait un soldat désillusionné — deux ou trois années de plus dans
l'armée, puis, surtout, y avoir subi les agressions abominables de ses aînés et de ses supérieurs, cela donnait le droit d'en faire autant aux recrues. Fallait-il s'y
résigner ? Fallait-il endurer en silence la douleur et
l'indignation qu'elle suscitait ? Non, non, cela n'était
pas tolérable. Une *voix* émanant du calme de la
raison lui disait qu'il ne devait pas accepter ces bru-
talités dont la seule justification se trouvait dans
la hiérarchie militaire. Cependant, rien n'était plus
difficile que de s'opposer frontalement et publiquement au déploiement des violences gratuites.
Qui en était capable ? Son allure d'intellectuel et ses
réelles connaissances en matière d'ingénierie élec-
trique l'aidèrent à être mieux respecté. On le bruta-
lisa occasionnellement, on le tortura même ; mais la
plupart du temps on le laissa tranquille. Telle était
l'armée qu'il détestait et qui se haussait devant lui
comme un géant avec son esprit belliciste et irra-
tionnel, tel était l'esprit qu'il abhorrait et qui était
considéré comme la quintessence de l'âme nipponne
représentée précisément par ce disque rouge au
milieu d'un rectangle de tissu blanc.

En décembre 1937, au lendemain de la victoire de
la bataille de Nankin, plus de quatre cent mille personnes défilèrent à Tokyo en criant à tue-tête : « Vive
l'Empire du Grand Japon ! », « Vive l'Empereur ! ».
En 1938, près d'un million de Tokyoïtes participèrent
à la procession célébrant la victoire de la bataille de
Wuhan. D'innombrables petits rectangles blancs
troués au milieu d'une grande tache rouge circulaire

s'agitaient et frétillaient dans l'air comme des petits poissons attrapés au filet en masse. Le pays s'engouffrait toujours davantage dans la folie totalitaire sans fond.

La condition de l'homme

Un souvenir d'enfance me remonte à l'esprit.

J'avais à peu près l'âge de la petite fille aux nattes blondes qui ne desserrait pas les lèvres lorsque les haut-parleurs de son école débitaient d'une manière assourdissante la musique de *Votre règne*.

Mon père, loin d'être un employé soumis prêt à aller jusqu'à sacrifier sa vie privée au profit de celle de son entreprise, rentrait tous les soirs suffisamment tôt pour que nous puissions dîner en famille. Était-ce là un aspect des mœurs idylliques de l'époque ou faisait-il valoir sa position d'ingénieur électricien-chef de projet pour se défendre contre la colonisation du territoire personnel par le travail salarial ? Je l'ignore. Toujours est-il qu'il rentrait avant le coucher du soleil en été et largement avant ou, plus rarement, peu après la fermeture des petits commerces vers 19 h 30.

Un jour, il nous proposa, à moi et à mon grand frère, de regarder ensemble un feuilleton télévisé intitulé *La Condition de l'homme* tiré du roman éponyme de Junpei Gomikawa. Il était rare, voire rarissime, que notre père nous invitât à regarder la télévision. Cette proposition, qui n'en était pas une — car la nécessité de regarder le feuilleton s'imposait avec la force de l'évidence —, était à elle seule le signe annonciateur du caractère extraordinaire de ce qui allait s'offrir pendant des semaines aux deux âmes d'une curiosité et d'une réceptivité toutes juvéniles.

La Condition de l'homme est l'histoire d'un jeune intellectuel nommé Kaji, épris des idéaux de liberté, de paix et de justice. Enrôlé à titre de disposition punitive dans l'armée du Ġuandong en Mandchourie après s'être opposé à l'exécution barbare et insoutenable de Chinois par la police militaire japonaise, il essuie les pires traitements en raison des valeurs libérales et humanistes qu'il défend contre l'ultranationalisme étatique des militaires en place. Plus de cinquante ans ont passé et la mémoire n'a retenu finalement que très peu de choses. Quelques moments, néanmoins, me sont restés avec une clarté et une précision étonnantes. La manière dont les aînés exercent leur pouvoir disciplinaire exorbitant sur Kaji tout en le brutalisant, le torturant, le tabassant à mort ; des centaines de drapeaux bicolores blanc et rouge se trémoussant devant les nouveaux appelés unanimement acclamés ; l'expression horrifiée qui se dessine sur le visage du héros face aux prisonniers chinois traités avec une cruauté monstrueuse ; la beauté des acteurs — Kaji et sa femme Michiko se livrant nuitamment à de brûlantes étreintes qui, peut-être pour la première fois, ont ébranlé mon être jusqu'à la racine obscure de ses désirs érotiques ; l'ultime scène où le soldat japonais en guenilles meurt de faim et d'épuisement sous la neige qui ne cesse de tomber et qui finit par ensevelir son corps ; enfin et surtout, l'amour conjugal fondant Kaji et Michiko dans une fidélité indéfectible que rien ne peut détruire, ni les adversités de la vie ni les violences inhumaines de la société humaine :

tout cela s'est gravé en lettres ineffaçables dans la conscience du petit garçon de onze ans.

Un soir, après un épisode où un groupe de soldats aînés imbus d'eux-mêmes tirent une jubilation perverse des violents coups de poing qu'ils assènent à Kaji, mon père, légèrement essoufflé, murmura comme pour se parler à lui-même :

— C'était vraiment comme ça... Kaji, c'est un peu moi... Mais, moi, j'ai survécu...

Regards braqués

Je venais d'être nommé dans une université à Tokyo. J'allais avoir trente-quatre ans. J'étais heureux d'être enfin en possession d'une vraie situation que je pensais en mon for intérieur amplement mériter. Un de mes directeurs d'études m'avait prévenu, lorsque je m'étais décidé à m'engager dans la voie de l'enseignement-recherche en matière de lettres françaises, que, pour toucher mon premier salaire, je mettrais dix ans de plus que les autres prêts à entrer dans la vie active dès après la licence. Sa prévision s'était donc révélée juste.

Le jour du premier conseil général des enseignants en avril (dans ce pays, peut-être sous l'effet féerique du retour cyclique des cerisiers en fleur, l'année scolaire et universitaire commence en avril), je fus présenté, en même temps que tous les nouveaux arrivants dans les diverses disciplines, à l'ensemble des collègues de la faculté des lettres. Après cette formalité, ce fut le tour d'une petite réunion au département de français qui comptait une dizaine d'enseignants. Il n'y avait que des hommes. Une certaine tradition littéraire faisait que parmi les collègues s'en trouvaient deux ou trois qui étaient plus hommes de lettres que professeurs de français. Et, à ce titre, ils étaient entourés d'une certaine aura qui en imposait. Un dîner d'accueil offert au jeune novice fut le prétexte et l'occasion d'une soirée arrosée où se découvrait le mode de fonctionnement d'une sorte de *village* formé par les membres du département. Les vieux, les moins vieux, les jeunes, le néophyte dernier arrivé constituaient ensemble une petite communauté où la verticalité des structures essentiellement fondées sur l'âge et l'ancienneté — comme dans l'armée — déterminait largement la nature de l'*être-ensemble*.

Dans une collectivité de type villageois, fermée à l'extérieur et soudée par un même sentiment d'incorporation partagé, l'organisation verticale l'emportant sur le compagnonnage horizontal favorise peu l'échange verbal, rend difficile, voire impossible, la pratique du débat en tant que moyen de parvenir à un accord par l'usage collectif et égalitaire de la raison. Une politique de l'implicite et du conformisme se développe alors au sein du groupe. D'où l'importance de l'art de lire le ou les silences, les non-dits, éléments essentiels de la dynamique consensuelle, ce que les Japonais appellent parfois l'*air*. *Laisse-toi enrouler par ce qui est long*, dit éloquemment un proverbe. Ici la non-remise en question de ce qui est long — le pouvoir — est une valeur; la soumission aveugle est une sagesse.

Mais l'implicite n'existe que par opposition à l'explicite qui, lui, relève du langage. Il y a en effet des moments où il devient nécessaire de libérer les paroles refoulées, celles étouffées par le poids de la hiérarchie distributrice de places. C'est là que le *saké* joue un rôle incomparable. Les buveurs, par la vertu d'émancipation de la potion qu'ils absorbent, donnent libre cours, *dans une certaine mesure*, à leurs sentiments habituellement dissimulés. La médiation éthylique, universellement pratiquée dans toute la société et à tous les niveaux, se montre efficace pour entretenir les liens supposés préexistants, cultiver la conscience de commune appartenance, désamorcer les dissensions à la racine, afin de maintenir la cohésion et la concorde. Les choses qui doivent être mises au clair le sont à cette occasion. Les membres réunis pourront ainsi reconfirmer leur inscription dans le groupe, se reconnaître les uns par rapport aux autres dans leur destin commun : à chacun est assignée une *place*, préalablement et structurellement déterminée, d'où il lui convient de ne pas sortir.

C'est une telle communauté villageoise, en plein cœur de Tokyo, qui a accueilli le jeune novice revenu au pays après quelques années d'absence, plusieurs diplômes en poche, accompagné en plus d'une jeune et belle épouse française.

Après le dîner, il fallut changer de lieu. Une beuverie ne tient pas plus de deux heures dans un même environnement. Les gens vont de bistro en bistro, de bar en bar, d'estaminet en estaminet. Ils se soûlent ensemble jusqu'à l'évanouissement euphorique ou au vomissement désespéré. C'est dans les mœurs. La nuit s'épaississait. La rumeur de la ville s'apaisait. Les ombres titubantes disparaissaient peu à peu. Il se faisait tard. Certains collègues, après plusieurs courbettes, se dirigèrent vers la gare pour prendre le train. D'autres, qui n'étaient pas encore tout à fait descendus jusqu'au fond de l'ivresse, allaient prendre la direction d'un bar qu'ils avaient sans doute l'habitude de hanter jusqu'à une heure avancée de la nuit. Les plus jeunes, qu'ils le veuillent ou non, devaient leur tenir compagnie jusqu'à la fin. Cela faisait partie des règles du jeu tacitement admises. Le benjamin, le subalterne du groupe, invita alors le néophyte égaré à les suivre. Celui-ci fit le demeuré et répondit avec assurance :

— Il se fait tard. Je préfère me retirer et passer le reste de la soirée avec mon épouse qui m'attend. Au revoir. Que Bacchus soit avec vous !

Tous les regards, consternés, se braquèrent sur lui qui, déjà, tournait les talons. En dérogeant ainsi à la norme de comportement, en bafouant les conventions, en résistant aux forces silencieuses mais tyranniques des usages communautaires, il était parfaitement conscient de la portée de son geste, c'est-à-dire de son isolement choisi, de la distance qu'il instaurait vis-à-vis de son groupe, de l'enclenchement d'une longue et interminable *errance* à laquelle il se condamnait pour ainsi dire de son propre chef.

III. COMMUNAUTÉS
Ou l'errance impossible

Okaerinasaï

La fatigue ralentissait leur pas ; mais, poussés par l'envie de retrouver la maison et le repos, la petite fille et ses parents, qui la tenaient par la main, marchaient à un rythme régulier dans le long couloir en direction du tapis roulant des bagages. Avant d'arriver au contrôle des passeports, ils descendirent lentement un escalier d'une dizaine de marches. La petite fille regarda alors le grand panneau fixé au mur. Sept lettres *hiragana* (signes phonétiques) en matière synthétique diversement colorée s'y trouvaient collées. Elle les épela en les distinguant les unes des autres.

— O-KA-E-RI-NA-SA-Ï.

Elle répéta encore deux fois ce mot dont elle connaissait parfaitement la signification en adressant à son père un grand sourire. Celui-ci, en lisant d'une voix presque inaudible la phrase en anglais placée juste à côté des lettres en *hiragana* : « *Welcome to Japan !* », jeta un regard furtif vers sa femme qui disait à sa fille :

— Oui, ma chérie, nous sommes rentrés au Japon. Tu es contente ?

Arrivés enfin devant l'enfilade de postes de contrôle des passeports, la femme rejoignit la foule des voyageurs étrangers, tandis que son mari et sa fille se dirigèrent vers un des nombreux agents chargés d'apposer le tampon « retour » sur le passeport. Séparée de sa mère française, la petite fille soufflait dans sa main comme pour lui envoyer des baisers.

Cette scène me revient chaque fois que je rentre au Japon. Le spectacle de l'aéroport et les odeurs qui en émanent sont des *signes mémoratifs*. Cela m'est encore arrivé récemment, lorsque je suis rentré à Tokyo après un séjour de neuf mois à Paris. Nous avons atterri, mon épouse et moi, à l'aéroport de Narita. Mon regard ne pouvait pas refuser de se poser sur ce même mot japonais *Okaerinasaï* inscrit sur un grand panneau accroché au mur, mot en sept caractères *hiragana* comme s'ils avaient été réalisés à partir d'un modèle d'écriture soigneusement calligraphié. Et, bien sûr, à côté de ces lettres dont le tracé laissait deviner le mouvement naturel du pinceau tenu par la main d'un maître, se trouvait le petit énoncé exclamatif en anglais : « *Welcome to Japan !* » Comme chaque fois, je me suis rappelé ce que ma fille m'avait dit un jour, bien des années après la scène originaire que je viens de décrire : jusqu'à un âge où elle a enfin pu se sentir portée aussi par la langue et la culture transmises par sa mère, elle aurait été *émue jusqu'aux larmes* au contact de ce petit mot enchanté d'*Okaerinasaï*.

Okaerinasaï est une formule toute faite, un énoncé stéréotypé qui réactive le lien social, qui émaille et ponctue quotidiennement la vie des Japonais. Aucun Japonais ne passe un jour sans entendre ce mot adressé à lui au moins une fois ou, au contraire, sans qu'il sorte de sa bouche face à quelqu'un qui retrouve sa place naturelle dans l'espace familial. Prenez n'importe quel film d'Ozu, vous entendrez quelqu'un dire *Okaerinasaï*, à Ryu Chishu par exemple, chaque fois que celui-ci, incarnant le père, rentre à la maison souvent en état d'ébriété euphorique ou mélancolique. Même une personne vivant seule entend dans son for intérieur une *voix* qui lui adresse ce mot au moment où elle rentre chez elle, une *voix féminine* sans doute, venant de son passé, de son enfance plus ou moins lointaine, une *voix* se confondant probablement avec celle de sa mère.

Il s'agit donc d'une expression interjective qu'on adresse à quelqu'un qui effectue son retour sur un lieu considéré comme foyer originaire. Ces sept lettres qu'un voyageur japonais découvre au bout d'un long couloir d'arrivée de l'aéroport de Narita ne sont donc absolument pas l'équivalent sémantique de « Bienvenue ». C'est tout autre chose qui n'a strictement rien à voir avec l'insipide et universelle formule de bon accueil. C'est là en fait un mot exclusivement réservé à un Japonais qui est censé retrouver, après une pérégrination plus ou moins périlleuse dans le monde extérieur, repos et sérénité dans la grande famille nationale appelée Nippon. Le locuteur n'exprime pas sa joie de retrouver un proche qui était parti loin. Non, ce n'est pas cela. C'est plutôt d'un sentiment de soulagement qu'il s'agit. En constatant le retour d'un des siens, il se décharge de ses inquiétudes.

Ainsi la locution est révélatrice, dans sa structure énonciative même, d'une rigoureuse distinction opérée par la conscience japonaise entre les membres authentiques de la communauté nationale et les étrangers qui en sont exclus par leur statut même. Rien d'étonnant dès lors à ce que le Japon ne reconnaisse pas la double nationalité : on ne peut pas être à la fois *dedans* et *dehors*. Quelles sont alors les conditions à remplir pour faire partie de cette grande communauté calquée sur le modèle familial ? Cela revient à s'interroger sur le sens du terme *authentique* que je viens d'employer.

Ce qu'il faut noter en tout premier lieu, c'est que ni la maîtrise de la langue nationale, ni le désir de prendre part à la *chose publique* n'entre en ligne de compte pour définir le contenu réel de cette authenticité. C'est ce dont les étrangers vivant au Japon se rendent compte tôt ou tard. Ils finissent en effet par se persuader que quelle que soit la qualité de leur compréhension de la langue, quelles que soient l'étendue et la profondeur de leurs connaissances relatives à l'histoire et à la culture japonaises, quelle que soit la longévité de leur ancrage dans la vie japonaise, quels que soient enfin leur effort d'intégration sociale et leur désir de participation politique, ils garderont toujours le statut d'étranger. Ils comprendront assez vite qu'ils ne seront en définitive jamais considérés comme faisant partie du *dedans* communautaire. C'est que l'*être-ensemble* japonais n'est pas structuré comme en Occident. Tandis que le modèle européen de la société politique, tel qu'il a été élaboré de Hobbes à Rousseau en passant par Locke, se présente

comme le résultat d'une décision commune et collective de l'ensemble des *individus rassemblés*, la conception japonaise, telle qu'elle est en vigueur depuis au
moins la Restauration de Meiji — qui vit l'abolition
du système féodal japonais et l'entrée du pays dans la
modernité —, est essentiellement fondée sur le mythe
de la nation en tant qu'entité naturelle porteuse d'une
âme supposée immuable par-delà les vicissitudes de
l'histoire. La communauté nationale, ici, n'est pas le
résultat d'un acte d'association libre et volontaire.
Elle n'est pas, en d'autres termes, une construction
politique qui passe par un pacte ; elle est plutôt
d'essence ethnique dans la mesure où elle est caracté-
risée par la permanence et la pureté imaginaires du
sang. Elle *précède* les individus ; elle les englobe et les
engloutit. On voit que dans un espace national, pour
ainsi dire monocommunautariste, délimité et cir-
conscrit par de tels critères, les *êtres venus d'ailleurs*
n'ont pas de place.

Mais cela ne veut pas dire pour autant qu'ils ne
jouissent pas d'un certain confort psychologique
dans les relations qu'ils sont amenés à établir avec
d'authentiques nationaux. Tant qu'ils s'en tiendront
à leur place d'*invité*, tant qu'ils conserveront leur
extériorité respectable, ils seront traités avec courtoi-
sie et mansuétude. Les choses se compliquent singulièrement avec ceux qui sont venus d'ailleurs,
mais qui ont leur vie profondément mêlée à celle
des Japonais pour des raisons historiques, comme
le montre le massacre des Coréens en 1923 lors du
grand séisme de Tokyo, comme le montre aussi la
récente et brusque montée d'un sentiment de haine
ouvertement exprimé à leur égard par des mono-

communautaristes nationaux, grossiers et extré-
mistes, dans un climat de tensions diplomatiques
sans doute volontairement entretenues par les néoconservateurs ultranationalistes au pouvoir. « Il faut
exterminer les Coréens, qu'ils soient bons ou mau-
vais ! » a-t-on pu lire sur une banderole arborée par
des manifestants qui terrorisaient enfants et adultes
du quartier coréen en plein centre de Tokyo. Comment en sont-ils arrivés là ? Comment des mots aussi
ostensiblement orduriers, aussi scandaleusement
racistes peuvent-ils sortir de la bouche d'un homme
avec toute l'assurance d'une âme en paix ?

Les révolutionnaires français de 1789 ont libéré les
individus de leur appartenance traditionnelle, de
tout le poids historique de l'organisation corporative
de la société d'Ancien Régime. Leur démarche intellectuelle consiste à supposer que les hommes, à
l'issue d'un état de nature devenu invivable, fondent
un art de vivre ensemble, une *vie commune*, une *res
publica*, par la médiation d'un pacte d'association.
Ainsi fut proclamé dans la Déclaration de 1789 son
article 2 : « Le but de toute association politique est
la conservation des droits naturels et imprescriptibles de l'homme. Ces droits sont la liberté, la propriété, la sûreté et la résistance à l'oppression. » Dans
cet article 2 de la Déclaration, je crois entendre la
voix prophétique de Rousseau qui écrivait dans le
Contrat social les lignes suivantes qui m'ont boule-
versé quand je les ai lues pour la première fois et me
bouleversent toujours par la démonstration exemplaire de l'antériorité théorique et métaphysique de
l'homme par rapport au corps social, à la commu-

nauté politique. Il s'agit là de mettre en lumière le *contrat originaire*, « l'acte par lequel un peuple est un peuple » :

> Je suppose les hommes parvenus à ce point où les obstacles qui nuisent à leur conservation dans l'état de nature l'emportent par leur résistance sur les forces que chaque individu peut employer pour se maintenir dans cet état. Alors cet état primitif ne peut plus subsister, et le genre humain périrait s'il ne changeait sa manière d'être. [...]
>
> À l'instant, au lieu de la personne particulière de chaque contractant, cet acte d'association produit un corps moral et collectif composé d'autant de membres que l'assemblée a de voix, lequel reçoit de ce même acte son unité, son *moi* commun, sa vie et sa volonté. Cette personne publique qui se forme ainsi par l'union de toutes les autres prenait autrefois le nom de *Cité*, et prend maintenant celui de *République* ou de *corps politique*, lequel est appelé par ses membres *État* quand il est passif, *Souverain* quand il est actif, *Puissance* en le comparant à ses semblables. À l'égard des associés ils prennent collectivement le nom de *Peuple*, et s'appellent en particulier *Citoyens* comme participants à l'autorité souveraine, et *Sujets* comme soumis aux lois de l'État. Mais ces termes se confondent souvent et se prennent l'un pour l'autre ; il suffit de les savoir distinguer quand ils sont employés dans toute leur précision.

On ne devient pas rousseauiste facilement. Le *Contrat social* fut traduit en japonais dès l'ère Meiji. Mais il me semble que la conception rousseauiste du *politique* demeure inassimilable et étrangère à la conscience japonaise. Je distingue, à la suite de

Marcel Gauchet et de bien d'autres, *la* politique et *le* politique, en disant que la première n'est que le résultat du second qui est l'art de créer, ici par la médiation d'un pacte social, la coexistence humaine, celui de faire d'une multitude un peuple rassemblé, d'un amas de « je » un « nous ». Une vision contractuelle *du politique* constitue, à dix mille kilomètres de Paris, un obstacle épistémologique majeur.

L'État tel que les Japonais l'appréhendent et le vivent ne ressemble d'aucune manière à celui du *Contrat social*, ni à celui de la Déclaration en tant que résultat d'un acte d'*association politique* pour la conservation des droits naturels et imprescriptibles de l'*homme*. Leur État, c'est CELUI qui s'impose, en deçà et au-delà de la volonté de chacun, comme une sorte de données millénaires ethnico-géographiques qu'on ne saurait mettre en doute sous peine d'exclusion ou même de mise à mort comme en témoigne le sort réservé aux résistants, libéraux ou communistes, des années sombres et fanatiques de l'avant-guerre. C'est CELUI qui fait sentir aux Japonais qui reviennent de l'étranger une douce chaleur et une force enveloppante propres à la communauté familiale à travers ce petit énoncé magique qu'est *Okaerinasaï*.

Du présentisme au conformisme

Ce que le petit mot d'*Okaerinasaï* permet d'entrevoir est donc l'image d'une *communauté exclusive*, autosuffisante, repliée sur elle-même, hermétiquement fermée au monde extérieur. À cette clôture communautaire essentielle sont profondément liés un certain nombre de traits caractéristiques de la culture japonaise. En suivant le chemin tracé par Shuichi Kato dans ses deux livres majeurs, *Histoire de la littérature japonaise* et *Le Temps et l'espace dans la culture japonaise*, j'évoquerai volontiers le présentisme qui privilégie l'intensité de l'émotion éprouvée ici et maintenant, le conformisme en tant que soumission spontanée à la majorité présente qui exclut un dialogue authentique et enfin l'absence de l'idée de transcendance — qu'elle soit religieuse ou métaphysique — au profit de l'intérêt exclusif pour l'ici-bas. Tous les éléments se présupposent et se déterminent pour constituer un ensemble culturel cohérent. Mais ici on prêtera une attention particulière au chemin qui, partant du présentisme, mène au conformisme.

Pour ce qui concerne le présentisme, il faut noter avant tout qu'il s'agit là de l'attitude fondamentale des Japonais qui témoigne d'une remarquable stabilité depuis l'Antiquité jusqu'à nos jours et qui repose sur une conception du temps n'ayant ni commencement ni fin. Le temps qui n'a ni commencement ni fin n'est pas, par définition, structurable. Il apparaît simplement comme une succession d'instants présents, à l'instar de l'existence donjuanesque réductible à une suite discontinue de plaisirs. Il ne se cristallise pas en une *Histoire*.

Le présentisme trouve des échos d'abord dans la langue japonaise. La phrase japonaise, avec tout le système des expressions honorifiques, est intimement et intrinsèquement liée à la situation d'énonciation où s'expriment concrètement les relations sociales entre le locuteur (celui qui parle) et son interlocuteur. La fonction de la structure de la phrase en japonais, en tant qu'agencement raisonné des mots, est donc singulièrement limitée dans la mesure où elle est inapte à transcender les situations particulières variables à l'infini. Le choix des mots et la manière dont ils s'agencent selon les règles syntaxiques dépendent dans une large mesure de plusieurs paramètres (âge, sexe, degré d'intimité, relations hiérarchiques, etc.) qui définissent les conditions réelles des échanges verbaux.

L'ordre des mots qui, dans une phrase, va toujours des détails à l'ensemble correspond aussi au privilège accordé au présent de l'énonciation. La conscience de celui qui s'exprime dans une langue européenne dotée de *pronoms relatifs* s'attache d'abord à l'*ensemble* pour aller ensuite vers les *détails* (par exemple, dans un énoncé comme « la femme qui porte une robe blanche et un chapeau vert », la « femme » constitue l'*ensemble* tandis que « une robe blanche » et « un chapeau vert » les *détails*). En revanche, la langue japonaise ignorant ces outils grammaticaux fixe l'attention du locuteur d'abord sur les *détails* pour la diriger ensuite vers l'*ensemble*. Si on traduit les rapports entre l'*ensemble* et les *détails* en termes de temporalité, les *détails* apparaissent comme un déroulement de « maintenant » dans la conscience du locuteur qui observe le monde.

Le présentisme se manifeste aussi dans le fait que ce qui correspond aux temps grammaticaux en langues européennes — passé, présent, futur — est pris en charge par des particules exprimant les réactions *présentes* du locuteur face aux événements du passé ou à venir. Bref, le japonais n'a ni passé ni futur ;

ce qui prévaut, c'est le présent de l'énonciation. La langue japonaise a une forte tendance à se désintéresser de l'inscription des événements dans le déroulement temporel ; elle privilégie la posture psychologique du sujet parlant par rapport à ces événements qui ont déjà eu lieu ou qui vont venir.

On peut illustrer le présentisme dans l'art et la littérature par de nombreux exemples. Je me contenterai ici d'en signaler quelques-uns. En littérature, la prédominance des formes poétiques brèves comme le *haïku* indique le primat de l'esthétique de l'instant présent. Un poème composé de dix-sept syllabes seulement, inadapté à la construction d'un récit, s'efforcera de capter l'émotion du locuteur dans son apparition momentanée, sa fugacité. Dans le domaine de la prose, c'est le genre *zuihitsu* qui apparaît comme la meilleure illustration du présentisme nippon. L'esprit du *zuihitsu*, invariable jusqu'à aujourd'hui depuis *Les Notes de chevet* (xe siècle) de Sei Shonagon, se manifeste, d'une part, dans l'absence de structure architecturale globale et, d'autre part, dans son attention exclusivement dirigée vers la vie de *chaque instant*.

En musique également, l'absence de structure architecturale globale est un trait caractéristique frappant et, par là même, la musique japonaise rejoint l'esthétique de l'instant présent. Peu soucieuse de la dimension structurale de l'œuvre, c'est-à-dire des relations complexes entre les notes, elle privilégie le *timbre* et l'*intervalle* qui n'ont de sens que dans leur actualité présente. La volonté de ne pas structurer la durée temporelle va de pair avec celle de miser sur l'intensité de l'émotion actuelle.

La volonté de ne pas structurer la durée temporelle, celle de ne pas diviser le temps en trois catégories nettement différenciées — passé, présent, futur —, celle donc de ne pas vouloir comprendre le présent dans son rapport avec le passé et le futur, cette volonté-là, si manifeste dans la langue, l'expression littéraire et musicale, est tout aussi prégnante dans la pratique picturale. Le meilleur exemple pour s'en convaincre serait l'épanouissement du procédé qu'on appelle le *rouleau illustré* (*emakimono*) à partir de la seconde moitié du XIIe siècle. Un rouleau de peinture est conçu pour qu'on contemple les scènes les unes après les autres en répétant deux gestes simples : celui de dérouler et celui d'enrouler. Les scènes déjà regardées sont enroulées par la main droite, tandis que celles encore à regarder doivent être déroulées progressivement par la main gauche. Ainsi la scène qui *se présente* au contemplateur des rouleaux illustrés est toujours coupée à la fois du passé et du futur. Le temps qui passe dans ce type de peinture unique qu'on apprécie dans une incessante opération de déroulement et d'enroulement est une succession de moments *présents* équivalant les uns aux autres.

Le présentisme, sur le plan des conduites humaines, aboutit au conformisme. Ou, plutôt, devrais-je dire que celui-ci n'est rien d'autre que la manifestation du présentisme dans un groupe donné au niveau même du mode de comportement de ses membres ?

Bien sûr, le conformisme existe partout, dans toutes les sociétés. Le mot existe. On connaît en français, grâce à Rabelais, les moutons de Panurge. Mais il y a conformisme et conformisme. En Europe occidentale, le conformisme est l'objet d'une critique acerbe quand il se confond avec la soumission à la tyrannie de la majorité. Au Japon, il est plutôt la voix (ou la voie) de la sagesse comme l'indique le proverbe déjà cité : « Laisse-toi enrouler par ce qui est long. »

Celui qui apparaît dans une société faisant peu de cas de la liberté de conscience et de l'expression des convictions personnelles est d'une nature si particulière qu'il mérite toute notre attention. Là où les individus se taisent volontiers devant les normes du groupe auquel ils appartiennent, l'adhésion à la tendance générale du moment se fait sans peine. D'où le phénomène de revirement brutal si fréquemment observé dans l'histoire du Japon moderne. Déjà, au tout début de l'ère Meiji, Yukichi Fukuzawa — un penseur important, initiateur des idées européennes de la modernité au Japon —, qui avait observé les réformateurs de la première année de Meiji et ceux de l'an X de la même ère tourner pareillement comme des girouettes pour se soumettre à la puissance de la majorité, a dû conclure qu'ils étaient « bien pareillement des Japonais » et que, « si des troubles sociaux éclataient aujourd'hui, ils se rallieraient toujours pareillement à la majorité ».

La soumission aveugle à la majorité tyrannique s'est montrée dans toute sa misérable et effrayante splendeur pendant les années qui ont conduit le pays à son effondrement en 1945. Après 1936, les militaires de l'armée de terre ont pris en otage le gouvernement et déployé une politique d'expansion coloniale en Chine. Cela a constitué la *tendance générale et prédominante* de l'époque. Bien peu de gens ont eu le courage de s'y opposer aussi bien au Parlement que dans le monde intellectuel. L'Association pour le Soutien à l'Autorité impériale (*Taiseiyokusankaï*) formée en 1940 a fini par anéantir presque toutes les voix discordantes. Certaines, fragiles et chuchotantes, arrivaient néanmoins à transpercer le mur du silence pour les oreilles capables de les entendre. Shuichi Kato souligne la voix, solitaire et isolée, de Chuya Nakahara qui, en toute lucidité, a eu l'audace de ridiculiser dans un poème intitulé « Folles pensées d'un jour de printemps » (1937) la mentalité « tous ensemble » de l'écrasante majorité des gens engloutis dans l'uniformisme rampant.

Mais le revirement qui a le plus frappé le jeune Kato, ce fut celui de toute la nation en 1945. En une nuit, les sujets de l'Empire militariste devinrent pacifistes ; ceux qui vociféraient à propos des Américains et des Britanniques : « Bêtes diaboliques » se transformèrent subitement en adorateurs inconditionnels du général MacArthur. Ceux qui n'avaient jamais mis en doute la divinité de l'Empereur acceptèrent de bonne grâce sa déclaration d'humanité. Ceux qui dirigèrent la guerre tout autant que ceux qui la subirent, ceux qui envoyèrent les jeunes sur les champs de bataille tout autant que ceux qui, mobilisés, faillirent sombrer en mer ou mourir de faim dans la jungle de l'Asie du Sud-Est, vieux et jeunes, hommes et femmes, enfin tous, excepté une rarissime minorité d'intellectuels de gauche ou libéraux, décidèrent de *jeter leur passé dans l'eau* (c'est-à-dire de l'oublier comme s'il n'avait jamais existé) et se plièrent massivement à la nouvelle tendance générale.

Pour Shuichi Kato (moins âgé que mon père de six ans) et bien d'autres intellectuels de sa génération, la sidération suscitée par le spectacle de ce revirement extraordinaire fut sans doute le commencement de toute une vie d'*errance* intellectuelle, de questionnements patients et laborieux, sans cesse repris, recommencés.

Rien ne garantit que la majorité a raison. L'Histoire fourmille d'exemples qui montrent le contraire. C'est pourquoi le respect et la prise en compte des voix minoritaires sont essentiels. Mais la soumission plus ou moins forcée ou plus ou moins volontaire de chacun à la tendance majoritaire rend inaudibles ces voix minoritaires; elle fait de la société japonaise une société figée, immobile, incapable de rectifier ses orientations de façon souple et réfléchie. Seule une *catastrophe* inimaginable peut l'obliger à se remettre en cause, à chercher d'autres voies, à évoluer d'une manière différente. Cela a été le cas en 1945 avec le désastre de la guerre que résument, d'une manière à la fois cruelle et éloquente, les deux bombes atomiques.

En sera-t-il de même pour le 11 mars 2011? Ce n'est rien moins que sûr. L'évolution de la réalité politique depuis décembre 2012 me plonge dans un profond désarroi. Comment ne pas sombrer dans un pessimisme noir s'il s'avère que même l'épreuve cruelle d'une catastrophe comme celle de Fukushima ne peut être l'occasion d'un changement significatif de la société? Comment garder un sain équilibre dans une communauté qui se tient constamment au bord d'une catastrophe possible? Comment ne pas se laisser envahir par l'angoisse qui vous prend devant l'acceptation, par la majorité anonyme et silencieuse, du monde tel qu'il va ?

Où est le chemin de l'avenir ?

Dans la morale confucéenne, on parle de « Cinq voies éthiques » (*Gorin*) que tout honnête homme doit suivre dans ses relations avec autrui. Les relations prévues par cette morale sont donc de cinq ordres : 1. Celles qui lient le père et ses enfants ; 2. Celles qui unissent les vassaux au prince ; 3. Celles qui existent entre les époux ; 4. Celles qui créent un ordre hiérarchisé entre les aînés et les cadets ; et enfin 5. Celles qui associent les amis les uns aux autres. Parmi les relations humaines qui viennent d'être mentionnées, seule l'amitié est de nature horizontale ; tout le reste est, de bout en bout, de structure verticale. Mais il y a plus : les figures de l'Autre conçues par la morale confucéenne ne dépassent pas le cercle étroit des êtres connus. Autrement dit, les relations entre deux inconnus, deux êtres qui s'ignorent, qui ne se connaissent pas, deux êtres qui, par leur implication dans la vie commune de ce qu'on appelle la *société civile*, sont amenés à se rencontrer dans l'*espace public*, hors de leur quotidien immédiat, bref ces relations-là, lointaines et de basse intensité affective, nécessairement créatrices d'une *morale publique*, ne sont pas prises en compte dans la perspective du confucianisme qui a si profondément marqué la conscience japonaise.

Y a-t-il quelque part une *voie* qui mène à l'émergence d'une *société politique* digne de ce nom, d'une société composée d'individus égaux, respectueux les uns des autres et exerçant souverainement la liberté de parole ? Comment trouver cette *voie* ? Comment l'ouvrir ? Comment pourrions-nous nous la frayer ?

Écrasement de l'individu

Au Japon, même les morts, bien loin de rejoindre un *au-delà*, demeurent ou continuent à demeurer dans un séjour considéré comme un prolongement de l'*ici-bas* et *reviennent* régulièrement, à une occasion ritualisée, dans leur propre famille, comme le suggèrent les pratiques d'*O-Bon* (un rite bouddhique qui honore le retour des âmes des ancêtres), en été, autour du 15 août. On adresserait donc *Okaerinasaï* même aux morts. La mort ne change en rien l'appartenance d'un être à sa communauté familiale d'origine. Même la mort ne peut le libérer de son appartenance première. Qu'en est-il de la communauté nationale ?

L'État souverain, organe administratif de la communauté politique nationale telle qu'elle s'est mise en place après la Restauration de Meiji, a ceci de caractéristique qu'il est non seulement *pouvoir politique* mais aussi *autorité morale et éthique*. Dans le monde occidental, l'État moderne, issu du contexte des guerres de Religion, est une sorte de compromis entre les forces religieuses ayant renoncé à leur ambition *politique* et le pouvoir politique qui, déclarant forfait en matière de gouvernement des consciences, s'en est tenu à une tâche extérieure et technique consistant dans le maintien de l'ordre public. Là s'est ouvert, par conséquent, l'espace de la liberté, celle de conscience, de pensée et de culte en tant que domaine du *privé* échappant à l'exercice du pouvoir politique.

Or, là où l'État impérial nippon, s'appropriant tout ensemble l'autorité spirituelle et le pouvoir politique, invente la notion fondamentale de *corps étatico-moral* (*kokutaï*) comme seul critère légitime pour évaluer et juger l'existence humaine dans son ensemble, aucune valeur morale transcendant l'État et son *corps étatico-moral* ne peut exister réellement. L'individu, ne disposant pas d'une valeur absolue extérieure à cette *structure* politico-morale, se trouve, au contraire, complètement *soumis* à elle. Aucune résistance n'est envisageable contre la puissance d'embrigadement de l'État impérial en tant que source de toutes les valeurs incarnées par l'Empereur. Jusqu'en 1945, rappelons-le, le Japon est régi par la Constitution de l'Empire du Grand Japon (1889) considérée comme une réalisation positive et effective de la vision mythique du *shintoïsme* d'État en tant que loi fondamentale, qui confère au seul Empereur le pouvoir constituant et législatif. L'*absolutisation* de l'Empereur — et, subsidiairement, celle de tous les « petits empereurs » de toutes les petites communautés — n'est rien d'autre que celle du groupe d'appartenance au détriment de l'individu. D'où l'idée de *responsabilité infinie* du sujet vis-à-vis de l'Empereur et du *corps étatico-moral* qu'il informe et représente, idée parfaitement illustrée par deux événements survenus en 1923. Masao Maruyama les rappelle, dans son admirable *Pensée japonaise* (1961), tels qu'ils ont été perçus dans leur totale *étrangeté* par un Allemand, Emil Lederer, alors professeur invité à l'université impériale de Tokyo.

Le premier événement rapporté par Lederer est la célèbre tentative d'assassinat du prince Hiro-Hito perpétrée par le jeune terroriste fanatique Daisuke Namba. Ce qui a attiré l'attention du professeur allemand, ce n'est pas l'acte meurtrier lui-même, mais ce qui s'est produit *après* l'événement à proprement parler : la démission collective du gouvernement, la révocation disciplinaire de ceux qui étaient chargés de la sécurité du prince depuis le préfet de police jusqu'aux moindres gardes qui étaient loin d'être en état de prévenir l'attentat, le père de l'assassin qui abandonne ses fonctions de député pour se cloîtrer à jamais dans sa maison désormais entourée de haies de bambous, l'entrée en « deuil » de tout le village natal de Namba et, enfin et surtout, le départ forcé du proviseur de l'école primaire où celui-ci avait reçu les premiers rudiments de connaissance ainsi que la démission de l'instituteur qui, jadis, s'était occupé directement de l'enfant — cette responsabilité *en cascade* qui, loin de s'arrêter ou de s'épuiser quelque part, ne cesse de descendre *à l'infini*, c'est cela qui est apparu aux yeux de Lederer comme quelque chose d'absolument inconcevable et incompréhensible en regard de la conception occidentale de l'individu et de la société politique.

Le second événement noté par le professeur allemand est ce qui s'est passé lors du grand tremblement de terre de 1923. Ce qui l'a ébahi, c'est la puissance d'inféodation morale proprement sidérante du système impérial. Il reste en effet frappé de stupéfaction devant le suicide quasi volontaire des directeurs d'écoles, qui ont sacrifié leur vie, au plus fort de

l'incendie provoqué par le séisme, pour sauver le portrait sacré de l'Empereur accroché aux murs de leur
bureau. L'intellectuel allemand ne comprend pas
l'impossibilité de la tenue d'un discours qui consiste-
rait à dire qu'il serait plus raisonnable de préférer la
vie d'un être humain à la sauvegarde d'une image, fût-
elle celle de l'Empereur.

Les deux événements sont révélateurs de la *responsabilité infinie* du sujet japonais à l'égard de la figure
divine de l'Empereur et du *corps étatico-moral* dont il
est le centre vital : le premier indique l'*infini* en terme
de nombre (le point d'aboutissement serait l'idée,
bien présente à la fin de la guerre du Pacifique, du
suicide collectif de *toute la nation*) ; le second signale
l'*infini* dans le dévouement sacrificiel. S'agissant,
donc, d'une situation *catastrophique* comme la tentative d'assassinat de l'Empereur ou la destruction par
le feu de l'image impériale, tout le monde est *infiniment* responsable. L'appartenance du sujet japonais
au *corps étatico-moral* est ainsi absolue, définitive,
irréversible et irrévocable. Même la mort ne saurait
briser ce lien. Pour un soldat nippon, mourir au service de l'Empereur signifiait, indépendamment de sa
volonté, son inscription définitive et indissoluble
dans le *corps étatico-moral*.

Oui, tout le monde est *infiniment responsable*. Mais
il ne faut pas s'arrêter là, car ce qui est remarquable,
c'est que cet énoncé, paradoxalement, peut se retour-
ner en un tournemain en son exact contraire. Le partage au demeurant toujours partiel — voire perçu
comme minime en dernière instance — de la responsabilité par chacun des membres de la communauté
signifie en définitive que personne n'est véritable-

ment responsable *individuellement*. On sait que ce système d'*irresponsabilité* généralisée a frappé les esprits par tout son éclat mystérieux au Tribunal militaire international pour l'Extrême-Orient en 1946. N'ayant pas le sentiment de s'être engagés de leur plein gré, les militaires et les hommes politiques, accusés d'être des «criminels de guerre», n'ont pas consenti à s'avouer responsables des atrocités commises. C'est l'*air* de l'époque, pensaient-ils sincèrement, qui les a entraînés dans la guerre; personne ne pouvait s'y opposer... C'est là une manière de mettre la folie meurtrière de la guerre sur le dos de toute la nation...

La société japonaise dans sa clôture nationale, où s'échange *Okaerinasaï* comme un mot de reconnaissance réciproque, est en fait toujours animée par ce type de collectivisme communautaire qui rend problématique l'émergence d'*êtres singuliers* pleinement conscients de leur autonomie individuelle et de leur responsabilité. La manière dont le Japon vit, affronte, gère, assume ou n'assume pas l'après-Fukushima le montre avec toute la force de l'évidence.

Une autre catastrophe

Il y eut une catastrophe innommable. Il y eut les deux bombes atomiques. La guerre finit par la capitulation du Japon. La Constitution de l'Empire du Grand Japon (1889) ainsi que l'Ordonnance impériale sur l'éducation (1890) — les deux textes fondamentaux du régime impérial — furent abrogées, ce qui entraîna nécessairement l'invalidation de la notion de *corps étatico-moral*.

Un autre Japon, par conséquent, est né. La loi fondamentale a changé. En 1947 est entrée en vigueur la Constitution actuelle fondée non plus sur le *shintoïsme* d'État mais sur le droit naturel universel qui implique l'idée de construction politique sur la base d'un pacte social conclu par les individus réunis et transfigurés en peuple. Cependant, le système impérial a survécu : l'Empereur qui a perdu sa nature divine s'est vu attribuer le statut de symbole national. On peut se demander, dans ces conditions, si le Japon a vraiment changé. La question est d'autant plus légitime et opportune aujourd'hui que l'extrême droite néolibérale en place ne cache plus son désir profond d'enterrer l'idée de *droits naturels et imprescriptibles de l'homme* qui constitue le fondement même de la Constitution actuelle et du régime politique qu'elle définit.

Plus de trois ans se sont écoulés depuis le 11 mars 2011. Malgré la déclaration officielle de « Fin de la crise » prononcée en décembre 2011 par le Premier ministre de l'époque, la situation de la centrale nucléaire de Fukushima Daiichi demeure sérieusement préoccupante.

Le Monstre invisible est toujours là.

Les cœurs des réacteurs ont fondu ; les cuves sont trouées ; les enceintes de confinement sont endommagées. La piscine du réacteur n° 4, abritant une quantité astronomique de combustibles usagés (équivalente, dit-on, à 14 000 bombes de Hiroshima), serait dans un état de fragilité tel qu'elle risquerait de s'effondrer à l'occasion d'une forte réplique. Le site de la centrale est ainsi gravement contaminé par la radioactivité ; il l'est si fortement qu'on ne peut pas savoir avec exactitude ce qui se passe dans chaque réacteur. Où est le *corium*, cette énorme masse des combustibles fondus ? Elle serait descendue sous terre et affecterait la nappe phréatique. La grande quantité de césium éjectée lors de l'accident a touché la moitié nord du Japon. Les zones où la radioactivité dépasse la norme fixée par la loi (un millisievert par an) seraient aussi étendues que tout le département de Fukushima. La terre est contaminée ; les légumes et les fruits cultivés sur cette terre le sont donc nécessairement. En outre, par la nécessité absolue de continuer à refroidir les réacteurs accidentés, on produit tous les jours plus de 400 tonnes d'eau hautement contaminée et cela pour des décennies au moins. Or la capacité d'emmagasinement de ces eaux dangereuses n'est pas illimitée... Par ailleurs, on sait que plus de 150 000 personnes ayant perdu leur maison et leur travail se trouvent toujours et encore dans une situation de déracinement intolérable... Plus de 150 000 personnes en état de réfugiés, privées de parole. Il y a des effrontés qui osent dire que l'accident de Fukushima n'est pas grave parce qu'il n'a tué personne. Eh bien, c'est faux puisqu'il a tué. Puis il y a ces 150 000 personnes qui sont traitées comme des morts puisque, quelque part, une intimidante force anonyme leur ôte la liberté de prendre la parole... Familles divisées ou dispersées, enfants arrachés à leurs parents, sans oublier un nombre incroyable d'animaux de toutes sortes abandonnés, oubliés, délaissés, décimés... Bref, une inqualifiable *catastrophe* d'origine humaine accable le *monde des vivants*.

Mais, chose étonnante, les Japonais semblent vouloir oublier ces souvenirs cauchemardesques. Ils semblent vouloir *jeter dans l'eau* leur passé néfaste. N'est-ce pas ainsi qu'ils ont accordé, en décembre 2012, leur confiance électorale au PLD (parti libéral démocrate), formation politique comprenant, comme des revenants de l'époque du *corps étatico-moral*, nombre d'ultranationalistes, ce parti, précisément, qui a inondé de cinquante-quatre réacteurs l'archipel bâti sur des failles sismiques ? Même dans les circonscriptions électorales du département de Fukushima, le PLD a enregistré une victoire éclatante. Est-ce là l'œuvre magique du présentisme ancré jusqu'au plus profond de l'imaginaire collectif ?

Un système d'irresponsabilité généralisée

La chose la plus surprenante, c'est que dans cet accident nucléaire d'une ampleur sans précédent, dans cette catastrophe provoquée par des fautes et des négligences humaines et provoquant tant de maux et de souffrances, personne n'est *responsable*, comme il y a soixante-dix ans, à l'issue de la guerre catastrophique, justement à l'époque du *corps étatico-moral*. On se rappelle que la commission d'enquête gouvernementale a commencé ses travaux par une déclaration solennelle qui consistait à dire en substance qu'elle ne chercherait pas à dégager la responsabilité de tel ou tel acteur de la catastrophe. On ne se préoccupe pas de savoir quelle est la part de responsabilité de *chacun* de ceux qui sont à l'origine du drame de Fukushima. On n'accuse personne. Personne n'assume sa responsabilité. Personne. Personne. Personne. Aucun individu n'émerge du lot. Ni les personnalités du secteur privé, ni les hauts fonctionnaires du ministère de l'Économie et de l'Industrie, ni les chercheurs universitaires partisans de l'atome, bref nul *individu* en tant que tel de ce qu'on appelle le *village nucléaire* ne se sent apparemment concerné ni interpellé par la destruction de tout un environnement. Des voix fortes s'élèvent de-ci, de-là. Mais « écraser l'infâme » a du mal à gagner du terrain. On parle beaucoup de *lien naturel* (*kizuna*) et d'*âme nipponne* (*tamashii*) pour que toute la communauté nationale pense à Fukushima. Mais des *êtres singuliers*, capables de se référer à une valeur supérieure à celle de leur communauté d'appartenance, capables aussi de *créer* des relations *associatives* et *solidaires*, ne pointent pas encore à l'horizon... D'où l'absence de mobilisation massive...

Nous vivons sous un gouvernement dirigé par un homme réputé d'« extrême droite » ou qualifié d'« ultra-nationaliste » qui prône une révision de la Constitution de 1947. En effet, dans le projet pour une nouvelle constitution du parti (PLD) qu'il dirige se dessine en filigrane le désir de retrouver furtivement l'Ancien Japon régi, non pas par la volonté d'affirmer et de défendre les *droits naturels et imprescriptibles* de l'homme, mais par l'idéologie du *shintoïsme* d'État qui concentre autorité et valeur morales en la personne de l'Empereur au détriment et au mépris de l'individu ordinaire comme valeur suprême, c'est-à-dire tout à la fois comme sujet détenteur de *droits naturels* et comme créateur d'un *monde en commun*. Et c'est justement cette idéologie-là, il faut y insister, qui a conduit le Japon, en 1945, à la *catastrophe* que l'on sait.

Quel homme politique en France, fût-il d'extrême droite, oserait parler de son désir d'en finir avec la Déclaration de 1789 ?

Cet homme, petit-fils d'un ancien suspect du crime de guerre de classe A (crime contre la paix), fils d'un politique de la même veine, qui désire donc supprimer de la Constitution pacifique de 1947 toute la dimension héritière de la Déclaration des droits de l'homme et du citoyen de 1789, est en même temps un marchand d'État zélé qui, sans honte ni mauvaise conscience apparemment, se tortille pour vendre à l'étranger des réacteurs nucléaires en affirmant sans vergogne que les installations japonaises, ayant été mises à l'épreuve du pire accident, sont désormais *les plus sûres du monde*, comme si les difficultés insurmontables évoquées ci-dessus et les angoisses aussi bien que les souffrances des victimes de la radioactivité n'existaient pas. Pourquoi et comment une tendance politique qui méprise aussi effrontément les valeurs fondamentales de la modernité politique — la préservation des « droits naturels, inaliénables et sacrés de l'homme » — a-t-elle pu l'emporter ? Pourquoi cet aveuglement ? Pourquoi cet assujettissement volontaire des esprits ? Pourquoi cette soumission à la Majorité, encore et toujours ? Pourquoi cette indifférence massive, et finalement approbative ? Pourquoi cet engourdissement chronique, inguérissable, de la conscience politique ? Pourquoi, enfin, la toute-puissance de ce mécanisme d'auto-étouffement des voix individuelles ?

La communauté de ceux qui n'ont pas de communauté...

La puissance d'assujettissement inhérente à l'*être-ensemble communautaire* japonais n'aura finalement jamais été déconstruite malgré le changement important intervenu en 1945 au niveau du régime politique, changement traduit par l'adoption de la Constitution démocratique de 1947. Et c'est précisément ce mode d'existence communautaire indestructible qui, foyer du conformisme rampant, entrave et empêche l'apparition d'*êtres singuliers associatifs* et leur avancée sur le chemin d'une véritable appropriation démocratique. Nous n'en sommes sans doute pas au stade des interrogations françaises sur la communauté qui semblent aller d'une certaine façon dans le sens contraire... Ne cherchez-vous pas en France, après l'apocalypse de l'expérience concentrationnaire, après aussi le désastre et le traumatisme du communisme réel, à savoir comment re-fonder une nouvelle manière d'*être ensemble* sans succomber à la tentation communautariste mortifère, comment, autrement dit, réinventer un nouvel *être en commun* dans une société que l'on pourrait qualifier de « tout à l'ego » ? **Dans cette perspective, vous iriez même jusqu'à remettre radicalement en cause la théorie contractuelle de la société qui présuppose l'antériorité métaphysique de**

l'*être singulier* par rapport à la communauté qu'il est
censé produire avec ses semblables. En revanche, là-
bas, à dix mille kilomètres de Paris, on se demande
plutôt comment *défaire* la pensée de la communauté
native ou plutôt comment *s'en défaire*, comment
déconstruire le lien naturel asservissant pour faire
apparaître l'*individu* affranchi apte à *s'associer* de sa
propre initiative avec ses semblables, ou, en d'autres
termes, comment *se débarrasser* de la force d'empri-
sonnement de la *communauté catastrophique* en vue
de faire apparaître enfin une autre communauté, celle
précisément de ceux qui n'ont rien de commun sinon
le partage de la solitude essentielle de l'*être singulier*. Il
s'agirait alors d'une *communauté de ceux qui n'ont pas
de communauté* pour reprendre l'expression si vision-
naire de Georges Bataille. Deux pays, deux temporali-
tés, deux expériences historiques différentes, voire
opposées… Mais, sans doute, un horizon commun…

Dans un texte dédié à la mémoire de Samir Kassir,
Régis Debray définit l'intellectuel par un geste de
détachement volontaire :

> Faire acte d'intellectuel, c'est toujours rompre
> l'adhérence à son milieu. « Les sots ont ceci de com-
> mun avec les éponges, qu'ils adhèrent », disait Valéry,
> et spongieuses sont les communautés natives.

N'est-ce pas ce geste de détachement volontaire
que chacun doit faire sien dans un pays où la mentalité « tous ensemble » et l'insoulevable poids de la
Majorité confirmée assassinent les voix et les paroles
qu'elles portent, avant même leur naissance désirée,
dans leur état de fœtus langagier ?

Il est vain, aberrant de vouloir supprimer *Okaeri-nasaï* de la langue japonaise. On ne le pourra pas. On n'agit pas sur l'inconscient politique de toute une nation par une manipulation verbale de surface. Mais il est certain que la déconstruction de la communauté native passe aussi, nécessairement, par celle de la langue, par un *travail* conscient, en somme profondément littéraire, sur la langue. *Okaerinasaï* en est sans doute un symptôme, si frivole qu'il paraisse, si ténu qu'il soit.

IV. ERRANCES

Ou figures de l'affirmation individuelle

Diderot aimait abandonner son esprit à tout son libertinage. Chez celui qui ose affirmer : « Mes pensées, ce sont mes catins », l'esprit cherche constamment à partir, à s'éloigner d'un lieu. Être philosophe, c'est d'une certaine façon avoir l'esprit en *errance*. Cela permet d'échapper aux vues déformantes ou aveuglantes, cela aide aussi à briser les verrous des identités asphyxiantes. Vouloir être matérialiste humaniste consistera alors à tenter de se détacher de ses conditions d'existence immédiates, de ses appartenances préétablies qu'il n'aura nullement choisies.

Comment ne pas rêver à des esprits errants ou, autrement dit, à des *êtres singuliers pluriels*, pour reprendre l'expression de Jean-Luc Nancy, qui, dans leur solitude agissante et dans leur nomadisme mouvant ou immobile, s'efforcent de faire entendre leur voix distincte, de tracer une voie singulière menant à un lieu de rassemblement où les autres les rejoindront un jour pour faire résonner de concert une musique nouvelle ?

Voici, tour à tour, quelques éclaireurs du chemin de l'errance.

D'une errance à l'autre : Rousseau

D'abord Rousseau. Celui de *La Nouvelle Héloïse* (1761) pour commencer.

Ce roman épistolaire, qui se présente comme un recueil de « lettres de deux amants habitants d'une petite ville au pied des Alpes », a en réalité une portée géographique considérable. À la fin de la troisième partie, l'amant de Julie apprend que celle-ci s'est mariée avec Wolmar, nouvelle qui le plonge dans le désespoir. Son ami Milord Édouard l'incite à « chercher le repos de l'âme dans l'agitation d'une vie active ». Ainsi le jeune homme part faire le tour du monde sur un « Vaisseau d'une Escadre anglaise ». Il écrit, avant de partir, à Mme d'Orbe, la cousine de Julie :

> Je pars, chère et charmante Cousine, pour faire le tour du globe ; je vais chercher dans un autre hémisphère la paix dont je n'ai pu jouir dans celui-ci. Insensé que je suis ! Je vais *errer* dans l'univers sans trouver un lieu pour y reposer mon cœur ; je vais chercher un asile au monde où je puisse être loin de vous !

Un désir d'*errance* naît. Il pousse le héros à faire l'expérience du « bout du monde ». Celui-ci séjourne en effet, au cours de ce tour du monde, sur « une île déserte et délicieuse, douce et touchante image de l'antique beauté de la nature, et qui semble être confinée au bout du monde pour y servir d'asile à l'innocence et à l'amour persécuté... ». Plusieurs années après, il en revient transformé, profondément empreint de l'altérité radicale de cette île enchantée. Jusque-là, il menait une existence bourgeoise et mercantile, en se demandant par exemple : « Que serai-je réellement à votre père, en recevant de lui le salaire des leçons que je vous aurai données, et lui vendant une partie de mon temps c'est-à-dire ma personne ? » Après la période de l'errance, il passe de ce monde médiatisé par la monnaie à un autre, le village seigneurial de Clarens, qui est un espace d'ordre familial et domestique et qui apparaît paradoxalement comme l'équivalent de l'île au bout du monde. Le précepteur de Julie, jusqu'alors, n'avait pas de nom ; il était dans l'anonymat. Mais, ici, il acquiert un nom, un nom d'usage amical certes, mais un nom quand même : Saint-Preux. L'errance marque ainsi une naissance, la révélation d'un monde autre, d'une vie différente.

Le *Discours sur les sciences et les arts* (1751) aussi bien que le *Discours sur l'origine et les fondements de l'inégalité parmi les hommes* (1755) sont marqués par un mouvement d'errance qui conduit l'auteur à découvrir un monde autre, antithèse de celui qui l'enferme dans une réalité inacceptable : dans le premier, c'est, par exemple, la projection dans la Rome antique par la puissance d'une harangue attribuée à Fabricius, le consul romain célèbre pour sa probité ; tandis que, dans le second, c'est la remontée vertigineuse dans l'histoire universelle de l'humanité vers ses origines. Rousseau raconte dans les *Confessions* que, pour s'offrir les conditions d'une telle errance dans le temps, il a effectué un voyage mémorable à Saint-Germain où, « enfoncé dans la forêt », il s'efforçait de trouver « l'image des premiers temps » dont il allait bientôt proposer une lecture intégrale en confrontant « l'homme de l'homme » à « l'homme de la nature ».

De fait, Rousseau était un grand voyageur. Il marchait beaucoup. Dans un passage du Livre IV des *Confessions*, il insiste sur la vertu de la marche à pied en tant qu'elle libère des pensées audacieuses en opérant un « éloignement de tout ce qui [lui] fait sentir [sa] dépendance, de tout ce qui [le] rappelle à [sa] situation ». Il s'agit donc, d'une certaine manière, d'un arrachement. La marche ou l'errance qu'elle provoque lui permet de s'arracher au réel pour aller au-delà. C'est plus qu'un voyage, même si la locomotion n'est pas forcément dépaysante. Rousseau ne voyage pas, il *se voyage* plutôt, comme l'a magnifiquement écrit J.-B. Pontalis. Amorcer une errance, s'y engager durablement, ce fut pour Rousseau l'occasion « de vie immédiate, de mise à distance de cet autrui qui risque de prendre possession de moi, y installant du même coup la division ».

Je relirais volontiers les *Rêveries du promeneur solitaire* pour y relever un mouvement semblable. Le style tardif de Rousseau, bien loin d'affaiblir ou d'effacer le thème de l'errance, cherche à le renouveler, à en maintenir la vertu salvatrice à l'occasion d'un admirable récit-souvenir.

Il s'agit d'une page de la neuvième *Promenade* où Rousseau apparaît comme un solitaire qui s'arrache volontairement à son groupe d'appartenance, l'élite culturelle de son temps. Jean-Jacques se trouve parmi

« les riches et les gens de lettres » au château de la Chevrette chez M. et Mme d'Épinay. Il se tient une espèce de foire et un jeune aristocrate s'avise de lancer des pains d'épice au milieu de la foule. Des paysans se battent et se renversent pour en avoir, et ce spectacle de violences déchaînées amuse les riches, ce qui fait que tout le monde imite ce geste. Rousseau, lui aussi, s'y met par « mauvaise honte ». C'est le souci de faire comme tout le monde, de ressembler aux autres, de se conformer à la majorité, celui, en un mot, de *paraître* comme il faut qui lui dicte la conduite à tenir. Mais, quelques instants après, « ennuyé de vider [sa] bourse pour faire écraser les gens », il laisse là la « bonne compagnie » pour aller se promener seul ou plutôt — je suis tenté de le dire — se livrer à une sorte d'*errance*. C'est ce geste de *détachement volontaire* qui retient mon attention. Il *se détache* en effet de la bonne compagnie ; il s'enfonce dans la solitude et contemple la « variété des objets » qui l'entourent. Mais, en fait, ce détachement solitaire n'est que le moment intermédiaire puisque Rousseau joue ensuite pour ainsi dire le rôle de législateur dans l'apparition d'une petite société heureuse :

> Mais bientôt ennuyé de vider ma bourse pour faire écraser les gens, je laissai là la bonne compagnie et je fus me promener seul dans la foire. La variété des objets m'amusa longtemps. J'aperçus entre autres cinq ou six Savoyards autour d'une petite fille qui avait encore sur son éventaire une douzaine de chétives pommes dont elle aurait bien voulu se débarrasser. Les Savoyards de leur côté auraient bien voulu l'en débarrasser mais ils n'avaient que deux ou trois liards à eux tous et ce n'était pas de quoi faire

une grande brèche aux pommes. Cet éventaire était
pour eux le jardin des Hespérides, et la petite fille
était le dragon qui le gardait. Cette comédie m'amusa
longtemps : j'en fis enfin le dénouement en payant les
pommes à la petite fille et les lui faisant distribuer
aux petits garçons. J'eus alors un des plus doux spec-
tacles qui puissent flatter un cœur d'homme, celui de
voir la joie unie avec l'innocence de l'âge se répandre
tout autour de moi ; car les spectateurs mêmes en la
voyant la partagèrent, et moi qui partageais à si bon
marché cette joie, j'avais de plus celle de sentir qu'elle
était mon ouvrage.

Face à un texte d'une telle force d'interrogation,
on est tenté de développer un commentaire sur tout
le souvenir mis en récit de cette journée de fête. Ici,
cependant, quelques remarques suffiront pour insister sur la portée politique d'un comportement choisi
et assumé par le promeneur solitaire.

Rousseau esquisse un geste de rupture. Il s'éloigne
de la « bonne compagnie » pour se promener seul
dans la foire. Il fait bande à part. Il faut bien mesurer
les implications de ce geste qui l'arrache à son groupe.
C'est, à coup sûr, la manifestation de sa volonté d'en
finir avec la structure de pouvoir en place et, surtout,
avec les hommes qui l'incarnent. Début d'un isolement volontaire. Signe d'une errance choisie.

Jean-Jacques apparaît donc d'abord comme un
errant solitaire qui se complaît dans la contemplation
des objets environnants variés. Rien n'est plus important, cependant, que de remarquer que l'errance du
promeneur solitaire aboutit sans tarder à un petit projet de rassemblement social. Il s'attribue en effet la
place de l'instigateur ou de l'ordonnateur d'un nou-

veau type de société qui, par la distribution systématique d'un *rien* (de chétives pommes) apte à unir, à
l'instar du pacte social, des êtres désirants jusqu'alors
dispersés, parvient à dépasser l'état de violences
réciproques latentes que suggérait précédemment
la scène des « manants » incités à s'engager dans
une bagarre fratricide. Soulignons et admirons la
manière dont Rousseau se délivre de la domination
de la majorité, celle de la « bonne compagnie » qui se
délecte de la scène des violences qu'elle engendre elle-
même. Opposée aux « tristes plaisirs » ou aux « plaisirs bruyants » de la « bonne compagnie », la *joie* qui
réunit, par l'effet des pommes distribuées, les petits
Savoyards et la petite fille autour du législateur Jean-
Jacques est ici comme la preuve de validité d'un projet de société heureuse faisant contrepoids à l'image
quasi hobbesienne de la guerre de tous contre tous
évoquée dans les lignes qui précèdent le texte cité. Qui
ne pense en effet, devant le spectacle de la « bataille
des manants », à Thomas Hobbes qui a défini l'état de
nature comme un état de la guerre de tous contre tous
où l'homme est un loup pour l'homme ?

Rousseau nous propose de suivre un chemin qui
lui est familier, celui qui mène d'un *désordre* mortifère à un *ordre* harmonieux, un chemin semblable à
celui qu'il envisage dans le *Contrat social* comme
solution à une question fondamentale qui se pose
face au « genre humain qui périrait s'il ne changeait
pas sa manière d'être ». L'état de nature parvenu à
son suprême degré de contradictions internes ne peut
plus subsister en tant que tel. Comment faire pour
que la vie soit encore possible ? C'est là que Rousseau
nous fait assister à la naissance d'un *ordre* politique

appelé *république* par l'introduction d'un pacte social
permettant justement au genre humain de « changer
sa manière d'être ». Bien sûr, le récit de la neuvième
Promenade n'est pas l'équivalent narratif d'une théorie contractuelle de la société telle que les révolutionnaires de 1789 l'ont formalisée dans la Déclaration
des droits de l'homme et du citoyen. Mais il est tout
de même intéressant de constater que dans la mise en
texte d'un souvenir personnel lointain on peut obser-
ver la persistance de son désir, jamais éteint finalement, de *refaire société*.

Les Français, par le pouvoir même de la langue
qu'ils partagent avec le citoyen de Genève, portent-ils
en eux, comme une sorte d'héritage sacré et indéraci-
nable, cette force de *rupture*, ce désir de *détachement*,
cette capacité d'*errance* ? Je ne peux que le souhaiter
en pensant avec douleur à la tentation nucléaire qui
caractérise tout ensemble la France et le Japon en
pleine difficulté économique, dans leur démarche
commune de faire de l'atome une marchandise phare.
Je dois avouer que j'ai été profondément choqué,
lors de la visite du chef de l'État français au Japon
en juin 2013, par une entente mercantile que j'ai
presque envie de qualifier d'*obscène* entre l'homme
qui incarne les valeurs de l'immuable Déclaration des
droits de l'homme et du citoyen et son interlocuteur nippon habité par la sempiternelle obsession
d'enterrer la Constitution de 1947 animée précisément, d'un bout à l'autre, par l'esprit de la Déclaration de 1789. Ces deux hommes ne devraient pas
s'entendre…

Dans les paysages dévastés, la terre s'empoisonne ; dans les profondeurs telluriques, l'eau s'envenime ; dans les hauteurs aériennes, les oiseaux s'asphyxient. Les hommes s'enfuient ; les animaux meurent. Les cadavres s'amoncellent. Ils puent, croulent, se putréfient. Le sol est jonché d'ossements lavés par la pluie et séchés par le soleil. Dans ce royaume des morts, il faut faire parler les morts, il faut inventer une immense prosopopée, celle d'un Jean-Jacques justement, cet homme de la rupture radicale. Il faut entreprendre une errance à la recherche d'un lieu acceptable, comme le dirait Raymond Depardon. Puis, surtout, il faut persévérer dans cette errance pour apercevoir ne serait-ce qu'un horizon qui s'ouvre, la lueur d'une ère à venir, au-delà de ce monde qui paraît hypnotisé par l'éclat aveuglant et mortifère de l'or contaminé.

Errance dans le jardin : *Mozart*

L'errance, au sens propre comme au sens figuré, de Rousseau me rappelle celle d'une autre grande figure des Lumières : Mozart. Guidé par son père, l'enfant prodige voyagea à travers toute l'Europe. Adolescent, il poursuivit sa vie itinérante. Sous d'autres cieux, il découvrit des sons différents, des couleurs nouvelles ; il rencontra des maîtres ; il s'appropria des styles. Plus tard, en s'arrachant au pouvoir d'enfermement du prince-archevêque Colloredo de sa ville natale, il s'affirma dans une grandiose errance qui ne prit fin qu'avec la mort.

Au quatrième acte des *Noces de Figaro*, les personnages quittent les appartements du château d'Aguas

Frescas pour évoluer dans l'espace aéré et peu éclairé du jardin plongé dans le silence de la nuit ténébreuse. Ils passent d'un lieu fermé et hiérarchiquement structuré à un autre ouvert et enveloppé dans les voiles de la nuit, où tous les indices d'appartenance ont perdu leur pertinence tout comme dans la société postrévolutionnaire de 1791 animée de la volonté d'abolir les signes extérieurs renvoyant à des ordres, à des états ou à des rangs. On dirait que le librettiste da Ponte (et Beaumarchais aussi dans *Le Mariage de Figaro*) prend un malin plaisir à abandonner les personnages dans cet espace nocturne sans repères et ainsi à les vouer momentanément à une impitoyable errance.

Dans l'obscurité profonde qui rend la *vue* inopérante, le comte Almaviva cherche cependant à *voir* et persiste à vouloir distinguer la silhouette de la servante qu'il désire. Il se laisse ainsi tromper par l'échange des identités sociales (la comtesse Rosine / la camériste Suzanne) assuré par celui des vêtements. Quant à Figaro, il est leurré également, dans un premier temps, par le déguisement des femmes, mais il n'est pas comme son maître dupé, car, très vite, il se montre capable de discerner, au-delà des apparences vestimentaires de la comtesse, l'indéniable présence de sa fiancée par la *voix* qui la caractérise :

FIGARO (*se met à genoux*) :
Faisons la paix, mon doux trésor :
J'ai reconnu la voix que j'adore
Et qui pour toujours est gravée dans mon cœur.

SUZANNE (*souriant et avec surprise*) :
Ma voix ?

FIGARO :
La voix que j'adore.

SUZANNE et FIGARO :
Faisons la paix, mon doux trésor,
Faisons la paix, mon tendre amour.

Tout se passe comme si la personne de Suzanne était entièrement présente dans sa *voix* que Figaro reconnaît malgré l'épaisse obscurité. Cette métonymie vocale soutenue ici par la débordante tendresse de la musique mozartienne fait prendre conscience que tous les personnages, en fin de compte, révèlent et affirment leur présence par la singularité de leur *voix*. De fait, dans la scène suivante, lorsque le comte Almaviva arrive en disant : « Je ne la trouve pas, j'ai cherché dans tout le bois », Figaro et Suzanne chantent d'un même souffle : « C'est le comte, je reconnais sa voix. » Seul Almaviva, qui n'a pas su identifier sa femme sous la robe de Suzanne, se trouve disqualifié et décrédibilisé parmi tous les personnages errant dans le jardin, s'il est permis de penser que ceux qui sont gagnés au camp de Figaro-Suzanne possèdent par une sorte de transmission spontanée cette faculté de discernement vocal. Mais par l'interposition de l'ultime pardon de la comtesse, le grand seigneur rejoint les autres. Ils forment ainsi une communauté nouvelle annonciatrice de la république à venir. Il s'agit d'une communauté de *voix* à la fois singulières et multiples dont la musique de Mozart traduit génialement les tenants et les aboutissants. Les *voix* qui se croisent, se superposent, se répondent dans la pénombre du quatrième acte tout autant que dans l'immense finale du deuxième acte m'ont en

effet toujours émerveillé et continuent de m'émer-
veiller. Jean et Brigitte Massin écrivaient dans leur
monumental *Wolfgang Amadeus Mozart* :

> Jamais encore, jamais non plus depuis, un opéra
> mozartien ne mettra en jeu autant de caractères
> individuels, irréductibles les uns aux autres, com-
> plémentaires les uns des autres ; jamais non plus il
> ne les a associés en de si nombreux et si complexes
> ensembles vocaux, où chaque tempérament garde
> sa réaction distincte et où l'action poursuivie opère
> seule l'unité.

Une parfaite unité musicale qui porte en elle une
foisonnante diversité de voix, ou plutôt une multiplicité de voix qui demeurent vivantes et distinguables
dans la dynamique unifiante du déroulement musi-
cal. C'est un miracle. Comment la faculté de produire
un tel miracle a-t-elle pu habiter un compositeur de la
seconde moitié du XVIIIe siècle ? C'est là, me répondra-
t-on, le génie de Mozart. Mais même le génie de
Mozart n'échappe pas aux conditions de l'Histoire.
Pourquoi, donc, à un moment de l'Histoire européenne qu'on appelle les Lumières, le génie mozartien
a-t-il pu donner cette éblouissante beauté à l'existence
simultanée et non contradictoire de l'unité et de la
multiplicité ? Telle est la question que je ne cesse de
me poser depuis que j'ai découvert, lycéen, les opéras
du compositeur salzbourgeois, dont notamment *Les
Noces de Figaro* et *Così fan tutte*.

Les musicologues m'éclairent. C'est la *forme sonate*
qui s'impose comme solution du problème auquel est
confronté le génie de Mozart. Tandis que dans les
fugues de l'époque baroque un seul thème, sans être

pulvérisé ni même modifié par l'intervention d'autres thèmes, parcourt l'œuvre ou tout un segment de l'œuvre, la forme sonate développe, au contraire, un véritable *débat* au moyen de notes de musique. Si la persistance d'un thème unique correspond à une conception du monde univoque, la pluralité des thèmes qui s'affrontent dans la forme sonate est la version musicale de l'espace délibératif qui s'élabore peu à peu dans la vision politique de l'humanisme des Lumières.

La société japonaise militarisée de 1931 à 1945, je l'ai dit, est une société qui a fini par tuer toutes les voix individuelles pour ne faire entendre que celle de l'Empereur à travers notamment la notion de *corps étatico-moral*. La société japonaise de 2013, vautrée dans l'indifférence massive et l'ignorance de la culture délibérative, est toujours une société prête à succomber à la tentation conformiste de la majorité. La propension à « se laisser enrouler par ce qui est long » est si profondément ancrée dans la mentalité que le pays, d'apparence démocratique, est encore et toujours sourd aux voix diverses affaiblies et effacées par l'assourdissant vacarme majoritaire. La démocratie, le régime des voix plurielles, n'est-elle au demeurant qu'un habit d'emprunt ? On a raison de se poser la question et de s'en inquiéter même, si l'on prête attention à la situation actuelle où les néoconservateurs ultranationalistes au pouvoir poussent l'outrecuidance jusqu'à faire passer une loi dangereuse sur la protection des secrets d'État qui a pour objectif inavoué de néantiser toutes les voix opposées à celle de la majorité triomphante, exactement comme au temps cauchemardesque du *corps étatico-moral*.

Le passage, déjà cité, du *Contrat social* sur le pacte social me revient à l'esprit. Rousseau écrit à propos du contrat originaire qui n'est rien d'autre que l'« acte par lequel un peuple est un peuple » :

> À l'instant, au lieu de la personne particulière de chaque contractant, cet acte d'association produit un corps moral et collectif composé d'autant de membres que l'assemblée a de *voix*, lequel reçoit de ce même acte son unité, son *moi* commun, sa vie et sa volonté.

L'écoute des *voix* est partie intégrante de l'idée du peuple et de celle de l'État. Un État bien gouverné, judicieusement conduit, est celui qui n'est pas déchiré par les intérêts particuliers des factions (dirait-on aujourd'hui des lobbies ?) et qui, au contraire, tend vers l'unité politique par le respect scrupuleux des *voix* individuelles. C'est au bout du compte comme une œuvre musicale géniale où du concert des voix *différentes* et *multiples* et des chants *autonomes* et *divers* résulte non pas une cacophonie qui est la destruction réciproque des parties constitutives de l'ensemble, mais ce que Rousseau appelle *unité de mélodie* :

> L'harmonie, qui devrait étouffer la mélodie, l'anime, la renforce, la détermine : les diverses parties, sans se confondre, concourent au même effet ; et quoique chacune d'elles paraisse avoir son chant propre, de toutes ces parties réunies on n'entend sortir qu'un seul et même chant. C'est là ce que j'appelle *unité de mélodie*.

Je ne sais ce que me diront les musiciens et les historiens de la musique. Mais il me plaît de penser que c'est l'illustration exemplaire d'une telle unité de mélodie que j'entends dans la scène nocturne des *Noces de Figaro*.

Je suis né et j'ai grandi dans un pays dont la culture politique fait en sorte que la soumission générale à un ordre de faits devenu prééminent tende à éliminer ou à écraser les voix individuelles ; et je continue à y vivre, à essayer d'y vivre en tout cas le plus honnêtement possible, en me faisant un habitant solitaire d'un *royaume intermédiaire* où l'on parle à la fois japonais et français, et en me demandant comment un jour on pourra faire advenir un monde meilleur plus soucieux de la valeur de chaque voix singulière et, par conséquent, de chaque individu.

Il y a plus de soixante-dix ans, avant ma naissance, dans une petite ville de province du nord du Japon qui subissait des bombardements américains, blotti contre la paroi intérieure d'un placard encastré dans le mur, se cachant des yeux et des oreilles de la police militaire sans merci qui punissait les amateurs de la musique ennemie en ne jurant que par l'obéissance absolue à l'Empereur, mon père écoutait clandestinement de la musique de Beethoven. Aujourd'hui, je ne passe pas un jour sans me plonger dans le plaisir d'une écoute enchantée et jubilatoire de la *pluralité concertante des voix* qui se font entendre dans les œuvres que j'aime. L'écriture opératique de Mozart telle qu'elle s'épanouit dans les *Noces* ou dans *Così* vient en tête de liste, mais l'inépuisable domaine de la musique de chambre — à commencer par les quatuors à cordes du compositeur des *Noces* — n'est pas oublié. Chaque fois que j'écoute, par exemple, l'impétueux dernier mouvement du *Quatuor à cordes n° 9 en do majeur*, opus 59-3, de Beethoven (dit « *Razumovsky n° 3* »), je ne peux pas m'empêcher de penser au jeune homme qui, dans la noire solitude du placard, résistait à l'étouffement des voix en tendant l'oreille à la pluralité dansante des vigoureuses lignes mélodiques si caractéristiques de la musique beethovénienne. Les puissants du régime militaro-fasciste, n'entendant que la voix de la divinité impériale, fermés donc à la voix de la raison, étaient nécessairement sourds à la beauté de cette musique.

Aujourd'hui, les survivants ou revenants de cette époque lugubre ont une bouche tordue qui débite cavalièrement mensonges sur mensonges à l'instar de celle du Dictateur ridiculisé par Chaplin en 1940, une langue venimeuse qui paralyse les consciences comme celle des serpents à sonnette, un visage terrifiant qu'ils dissimulent par un maquillage sophistiqué pour sourire aux peuples endormis sous perfusion permanente des divertissements, des persuasions publicitaires et de la doxa politique manipulatoire. Écoutent-ils de la musique ? Peut-être. Mais, totalitaristes étouffeurs des *voix*, ils n'aiment pas la musique ; ils ne peuvent pas aimer, congénitalement, la diversité foisonnante des *voix* qui constituent l'essence de l'univers des opéras mozartiens ou des quatuors beethovéniens. Ils en sont tout au plus consommateurs dans le régime mondial et mondialisé des productions-consommations de la culture.

La cité démocratique est l'espace des *voix plurielles* que les néoconservateurs ultranationalistes, enfants anachroniques du *corps étatico-moral*, cherchent à détruire coûte que coûte.

« Ce n'est pas ma faute si je suis né japonais… » : *Masaki Kobayashi*

Rien d'étonnant à ce que ce jeune homme, qui savait donc *se déterritorialiser* dans le contexte difficile d'un nationalisme fanatique en allant chercher du réconfort moral dans la musique ennemie, se reconnût, en tant qu'ancien soldat de l'armée japonaise en Mandchourie, dans la figure inoubliable du soldat Kaji, le héros de *La Condition de l'homme* (1956-1957), roman à succès de Junpei Gomikawa. Enfant, je l'ai noté plus haut, j'avais connu, par la médiation de ce jeune homme qui était devenu père de deux enfants, le feuilleton télévisé (1962) de *La Condition de l'homme*. Bien des années après, à l'âge adulte, j'ai pris connaissance de la monumentale adaptation à l'écran de l'œuvre romanesque de

Gomikawa que Masaki Kobayashi avait réalisée en
1959-1961. Il s'agit en effet d'un film-fleuve de plus de
neuf heures qui, en six parties, relate le destin d'un
jeune intellectuel en rupture radicale avec l'impéria-
lisme militaro-fasciste ambiant entraînant tout le
pays dans le gouffre d'une barbarie innommable.
Kobayashi est le cinéaste de ce chef-d'œuvre absolu
qu'est *Hara-kiri* (1962). Mais, sous l'angle du thème
de l'*errance* qui m'habite, il convient de prendre en
compte tout d'abord la démesure cinématographique
de *La Condition de l'homme*.

Une plongée dans l'histoire d'une conscience sur
fond de l'Histoire de 1943-1945 qui ne vous lâche pas
durant 560 minutes, *La Condition de l'homme*, c'est
cela d'abord. Comment résumer ce qui se raconte et
se montre dans cette durée narrative d'une tension
jamais relâchée ? Le personnage principal, nommé
tout simplement par son patronyme Kaji, travaille
pour le compte d'une compagnie de minerai dans
le sud de la Mandchourie colonisée par le Japon
impérial. Il s'occupe de la gestion des ressources
ouvrières. Contrairement à ses collègues qui n'hé-
sitent pas à recourir à des traitements cruels et dégra-
dants afin d'augmenter le rendement, Kaji se soucie
d'améliorer les conditions de travail des ouvriers chinois. Une tentative d'évasion a lieu. Un capitaine san-
guinaire décide la décapitation des évadés rattrapés
et oblige Kaji à en être témoin. Pour l'administrateur
des ressources ouvrières, la barbarie des militaires
nippons dépasse les limites du soutenable. Il s'oppose au bourreau. Cet acte d'un courage surhumain
provoque un soulèvement déterminé de la part des
Chinois, ce qui interrompt et annule l'exécution des

autres inculpés. Pour Kaji, c'est le début d'une longue série de tribulations qui ne prendra fin qu'avec la mort. Il est en effet mobilisé et incorporé dans l'armée qui lui fait subir toutes sortes de maltraitances précisément en raison de son attitude rebelle à la violence du système militaire. Enfin, la débâcle japonaise est inévitable. Face aux troupes russes, Kaji est contraint de déposer les armes et se trouve emprisonné dans un camp de travail. Là, à cause du comportement délateur des anciens soldats japonais lécheurs des bottes des Russes, il est victime d'un traitement injuste notamment pour avoir essayé d'améliorer le sort de ses camarades sous-alimentés. Il décide finalement de s'évader. Il entreprend une longue, interminable, chancelante *marche* en rase campagne jusqu'à l'épuisement, guidé seulement par la voix fantomatique mais transcendante de sa femme Michiko.

Si le mot *errance* me vient à l'esprit à propos de la vie tourmentée de Kaji, ce n'est pas seulement parce que je suis frappé par la déchirante beauté de la scène finale où on le voit effectivement *errer* vers l'ailleurs illuminé par la présence imaginée de Michiko. C'est plutôt et surtout parce que toute son attitude que je qualifierai volontiers d'*humaniste* consiste à vouloir se détacher de ses conditions d'existence immédiates, de ses appartenances préétablies que, par la nature des choses, il n'aura pas eu la possibilité de refuser. C'est cet effort d'absence volontaire, de déracinement voulu, de distanciation active par rapport à son milieu qui paraît toujours naturel, c'est donc cette manière de s'éloigner de soi-même — ne serait-ce que momentanément et provisoirement —, de se séparer du natal, du national et de ce qui, plus généralement, le fixe dans une étroitesse identitaire, c'est cela et surtout cela que j'appellerai *errance*. Cette lancée hors de soi, cette démarche vers l'altérité, cet exercice d'éloignement et non de proximité est assurément une expérience digne d'être assimilée à une *errance*, parce que au moment où l'on passe à l'acte on ne sait jamais vers où, vers quel lieu agréable ou périlleux cela vous entraînera.

Sur un chantier clôturé qui ressemble à un bagne, face à ses collègues qui considèrent les ouvriers et les prisonniers de guerre chinois purement et simplement sous l'angle des forces de travail mécaniques et impersonnelles, Kaji ose affirmer, quant à lui, qu'il veut « traiter les hommes comme des hommes ». Lorsqu'il apprend que les prisonniers qui ont tenté de s'échapper vont être exécutés par la simple décision, toute personnelle, d'un seul officier, il gémit de douleur en se rendant compte que « son crime consiste à être japonais, alors que ce n'est pas sa faute s'il est né japonais ».

Mais la capacité d'*errance* de Kaji se révèle avec la plus grande force dans les propos qu'il tient lors d'une conversation réunissant autour de lui le jeune et naïf Terada et son ami Tange miraculeusement retrouvé. Celui-ci est un soldat « rouge » avec qui il avait sympathisé à l'hôpital militaire, tandis que Terada est une recrue qui croit au Japon impérial et à son armée, sous l'emprise de l'éducation dogmatique de son père, militaire de carrière. La défaite du Japon est désormais certaine. Cela les inquiète tous les trois, mais de trois manières différentes :

> KAJI : Ce n'est pas encore fini, la guerre ?
> TANGE : Je pense que c'est fini… normalement.

KAJI : Mais… si la guerre est finie, elle est finie dans quelles conditions ?

TANGE : Comme l'Allemagne, je crois… Reddition absolue, sans condition…

KAJI : Mais après ? Qu'est-ce qu'on va devenir, nous ? Enfin, des gens comme nous, des hommes comme toi et moi ?

TANGE : Ça, c'est la grande question !

TERADA : Si on est vaincu, le pays périra-t-il ?

KAJI : Qu'est-ce que le pays ? Le pays tel qu'on te l'a inculqué périra. Il doit périr d'ailleurs. On n'a rien à foutre avec une merde pareille ! Nous, on a tout fait pour survivre jusqu'à aujourd'hui. Alors, comment donner naissance à un pays où l'on pourrait enfin vivre selon ses propres désirs ? C'est ça le problème. Non ?

TANGE : Je prie pour que les forces démocratiques soient rassemblées pour redresser le pays…

KAJI : Y a-t-il des forces démocratiques dignes de ce nom au Japon ? Je suis sceptique…

Tange n'a pas l'air de mettre en doute l'existence de forces politiques démocratiques, alors que Kaji ne partage pas, loin de là, la certitude de son ami. L'ancien administrateur des ressources ouvrières a connu de près le système d'oppression militaire dans sa plus grande violence et dans sa plus brutale cruauté. La fureur paroxysmique de l'autorité militaire, qui trouve son assise profonde et sa justification ultime dans le système global garanti en dernière instance par la divinité impériale, ne tolère aucune prise de position individuelle : toute initiative, toute réaction personnelle est considérée comme une tentative d'insoumission et même de trahison envers le fameux *corps étatico-moral*. Face à la tyrannie d'une

telle doxa qui s'empare de *tout le pays*, Kaji pousse
son acte d'indépendance intellectuelle, sa force de
déterritorialisation et d'errance jusqu'à souhaiter la
disparition pure et simple d'un tel pays.

Mais ici une question se pose. Qu'est-ce qui lui permet de ne pas succomber à la puissance d'embrigadement de la majorité oppressive ? Quelle est la valeur
sur laquelle il s'appuie pour aller outre les injonc-
tions abominables de l'Autorité ? Kaji est manifeste-
ment un homme sans Dieu. De sa bouche ne sort
aucune parole imprégnée de sentiment religieux.
Alors, qu'est-ce qui le guide dans son errance déterminée et inflexible ? Je ne vois qu'une chose : l'amour
qui l'unit à sa femme constamment présente à son
esprit tout le long de son calvaire. Il me semble que
c'est cet amour qui lui permet de transcender et de
surplomber le réel pour en dénoncer toutes les atrocités. Kaji, c'est un révolté, un grand révolté qui
pousse d'incroyables cris de colère.

Et c'est un tel révolté, dans un tout autre contexte
historique, celui du shogunat des Tokugawa, qu'on
retrouve dans les deux films postérieurs à *La Condition
de l'homme* qui ont assuré la notoriété de Kobayashi :
Hara-kiri (*Seppuku*) (1962) d'une part et *Rébellion*
(1967) de l'autre. Quelques remarques à propos du
premier de ces deux chefs-d'œuvre suffiront pour souligner les obsessions thématiques du cinéaste.

Hara-kiri est sans doute l'œuvre la plus achevée de
Kobayashi. Hanshiro Tsugumo, un *ronin* acculé à la
plus grande misère, vient demander au grand chambellan de l'illustre clan Ii de l'autoriser à se faire
hara-kiri dans sa cour selon le code d'honneur des

guerriers. En fait, il adresse cette requête avec la ferme intention de venger son beau-fils Motome Chijiiwa, également *ronin*. Ce dernier avait fait la même démarche quelques jours auparavant en espérant obtenir une aumône ou, dans le meilleur des cas, une promesse d'engagement en tant que samouraï-serviteur. C'était son dernier recours. La misère les accablait, lui et sa femme malade Miho, la fille de Hanshiro Tsugumo. Motome avait en effet vendu jusqu'à son sabre pour se procurer des médicaments. Le grand chambellan, en accord avec trois de ses samouraïs les plus intransigeants, avait cependant opté pour la solution la plus cruelle en faisant la sourde oreille à la demande d'aide du jeune *ronin* : il avait pris à la lettre les vœux de *hara-kiri* de Motome. Le grand chambellan et ses trois collaborateurs avaient même poussé leur cruauté jusqu'à forcer Motome à se tuer avec son sabre en bambou qu'il portait honteusement à la place de son vrai sabre vendu depuis longtemps. Face au grand chambellan et à ses hommes réunis, Hanshiro raconte toute cette histoire dans la posture même d'un samouraï prêt à se faire *hara-kiri*. Au point culminant de son récit, il restitue, tour à tour, trois chignons « faisant partie, dit-il, des biens du grand et honorable clan Ii », les chignons des trois samouraïs tortionnaires, sectionnés au cours d'un combat sans merci qu'il leur avait livré. Hanshiro, animé par un sentiment de vengeance humiliante, avait laissé en vie les trois guerriers féroces et inhumains. Ces derniers, privés de leur chignon, signe de leur statut de samouraï, ne peuvent plus se montrer en public ; ils sont absents, font-ils savoir, *pour des raisons de santé*. Hanshiro fait alors retentir ses rires de mépris et de colère en dénonçant leur mensonge. Fou de rage, le grand chambellan ordonne à ses hommes d'exécuter immédiatement le fauteur de désordre.

Le film commence par un plan montrant l'armure emblématique et sacrée du clan Ii. C'est le symbole de l'autorité suprême d'où découle l'exercice du pouvoir ici incarné par le grand chambellan en l'absence du seigneur. Il est important de noter à cet égard qu'on retrouve cette armure à la fin du film. Seul, Hanshiro Tsugumo se bat contre la foule des assaillants. Il en élimine quelques-uns. L'issue du combat est cependant évidente. Le grand révolté, sur qui sont braquées plusieurs arquebuses, se tue finalement en se transperçant de son grand sabre ; mais, avant de passer à l'acte, il s'empare justement de l'armure pour la *balancer* de toutes ses forces sur le plancher.

Il faut prêter une attention toute particulière à ce moment d'une intensité dramatique maximale. Le geste iconoclaste, destructeur, insurrectionnel de Hanshiro est hautement significatif, car le révolté s'attaque, par le rejet de l'armure ancestrale sur laquelle repose tout l'édifice des valeurs guerrières, au cœur du système féodal et au pouvoir absolu qui en émane. À ce pouvoir qui écrase les individus, broie les cœurs, étouffe l'humanité sous un empire de mensonges qu'il bâtit et tente de préserver à tout prix. Hanshiro s'élève alors au-dessus de lui-même, au-dessus de ses conditions d'existence ; il sort de sa culture propre, de ce qui le fait exister en tant que samouraï, en hasardant ce geste de rupture radicale avec le système de domination qui l'enferme. Ce saut dans le vide, cette tentative d'*errance* au sens que j'accorde à ce mot ne peut aboutir qu'à la mort puisque le système ne tolère pas le dévoiement d'un individu solitaire hors des limites tracées. L'action du film est située au début de l'ère Tokugawa (xviiᵉ siècle), époque où s'installe et se consolide quelque chose qu'on appellerait *le système japonais* ; mais sans doute, dans l'esprit de Masaki Kobayashi, l'armure renvoie aussi et surtout, par la puissance même de sa vacuité, au système impérial dont il a enduré, simple soldat, les effets les plus abjects.

L'Histoire ne retient rien de l'errance de l'homme révolté. Le livre intitulé *La Chronique du clan Ii* qui s'ouvre au début du film se referme à la fin en glorifiant la renommée du clan qui a su admirablement gérer l'affaire d'un *ronin* désireux de se faire *hara-kiri* sous le regard *miséricordieux* de son chambellan. Le grand cri de colère et de révolte de l'homme, qui a osé mettre en accusation la cruauté du pouvoir délibérément sourd à la souffrance et à la misère individuelles au profit de la survie du système, est réprimé, étouffé, réduit au silence. Il n'existe aucun symptôme indicateur d'une éventuelle décomposition ni même d'un quelconque affaiblissement du système. C'est l'art de Kobayashi qui sauve la *voix* du révolté et permet de l'entendre considérablement amplifiée.

Hanshiro Tsugumo, au moment précis où il prend conscience de l'amour qui a incité son beau-fils à aller jusqu'à abandonner son identité de samouraï en vendant ses sabres, accède à une hauteur de vue qui lui permet d'éprouver un profond mépris à l'égard de sa propre arme et ainsi de critiquer radicalement la barbarie du régime politique en place. Ainsi Kobayashi introduit-il, dans l'univers étouffant de *Hara-kiri* comme dans celui, désespérément sombre, de *La Condition de l'homme*, la dimension d'une certaine transcendance dotée d'une force critique inégalable.

De l'errance à une certaine idée de la république :
Akira Kurosawa

Il faut boucler la boucle. Je reviens à Akira Kurosawa, l'introducteur même de ces pages sur l'errance.

Le thème de l'errance est essentiel dans l'œuvre de Kurosawa. Souvenons-nous du personnage du samouraï déclassé et solitaire qui est au centre des deux films jumeaux, exacts contemporains de *La Condition de l'homme* et de *Hara-kiri* : *Yojimbo* (*Le Garde du corps*) (1961) et *Sanjuro* (1962). En 1961, Kurosawa montrait, d'entrée de jeu, un samouraï sans nom qui *erre* à travers champs, en rase campagne, sans savoir où aller, en suivant seulement et nonchalamment la direction indiquée par un bâton lancé en l'air. Un an après, on retrouvait dans *Sanjuro* le même samouraï solitaire en guenilles, mal rasé, mal coiffé. Son état de sans-abri indiquait sans ambiguïté qu'il s'agissait d'un *ronin*, un samouraï sans maître, sans emploi, *détaché* par conséquent de toute allégeance, de toute inféodation, de toute appartenance, et, en outre, on le comprend à la fin de *Sanjuro*, désireux de rester dans cet état de *non-appartenance*.

Ce qui frappe, toutefois, à propos de l'errance du samouraï solitaire dans les deux films majeurs de Kurosawa, c'est que l'homme *errant* suspend son *errance*

pour déployer toute sa capacité *associative* qui lui permet de se dévouer à une cause commune. Avec
Kurosawa, pointe, si j'ose dire, l'*être-seul-en-commun* ou
l'*être-seul-avec*. C'est à ce titre que notre cinéaste apparaît comme un penseur de la communauté. Au-delà de
l'apparence divertissante du contenu narratif se profile
donc le désir conscient ou inconscient de Kurosawa qui
consiste à produire, par le biais de cet acteur exception-
nel qu'est Toshiro Mifune, la figure d'une individualité
singulière inédite dans le paysage culturel japonais.
Qu'est-ce que l'individualité kurosawaïenne ? Ce n'est
rien d'autre qu'un *être singulier* tendant vers le *partage* et
conscient de sa dimension *plurielle*.

Il me semble, cependant, que la plus belle et la plus
grandiose réussite de Kurosawa quant à la figuration
d'une telle individualité à la fois *errante* et *associative*
reste *Les Sept Samouraïs*, un des sommets, sinon le
sommet, de sa filmographie, qui date de 1954. De
quoi s'agit-il dans ce chef-d'œuvre ? Pour bien mesurer la portée du travail du cinéaste, il faut d'abord
se rappeler ce qu'il écrivait dans son autobiographie
à propos des Japonais tels qu'il les avait observés
en 1945 :

> Si l'Empereur n'avait pas prononcé son discours
> pour adjurer le peuple japonais de déposer les
> armes, et si, au lieu de cela, il avait appelé à l'Hono-
> rable Mort des Cent Millions, ces gens dans la rue
> de Soshigaya auraient probablement fait ce qu'on
> leur disait et ils seraient morts, et moi, j'aurais
> probablement fait la même chose. Le Japonais
> considère l'affirmation de soi comme immorale, et
> le sacrifice personnel comme une façon raison-
> nable de conduire sa vie. Nous étions habitués à

cet enseignement, et jamais ne nous serait venue l'idée de le remettre en question. [...]

Nous n'avions pas le droit à la parole, sinon pour répéter comme des perroquets les dogmes enseignés par le gouvernement militaire. Si nous voulions nous exprimer par nous-mêmes, nous devions trouver le moyen de le faire sans toucher à aucun problème social, et c'est pour cette raison que la poésie haïku connut pendant la guerre une vogue nouvelle.

La création du chef-d'œuvre vient neuf ans après l'année catastrophique dont il est question dans ce texte. Par conséquent, *Les Sept Samouraïs* est d'une certaine manière une réponse mûrement réfléchie à ce qu'était l'ancien Japon fondé sur la notion de *corps étatico-moral* qui a failli mener le pays justement à l'*Honorable Mort des Cent Millions*, c'est-à-dire au suicide collectif de toute la nation. Je ne sais quelles sont les idées qui taraudaient le cinéaste durant toutes ces années où se posait à tout un chacun la question du choix à faire quant à l'avenir commun, au projet de société à élaborer, au type d'individu à promouvoir. Mais l'œuvre monumentale de 1954 montre amplement qu'il réfléchissait à ces questions essentielles par des moyens qui lui étaient propres, ceux du cinéma.

La beauté du film réside dans la manière de montrer d'abord l'*errance* des sept hommes dégagés des liens féodaux et ensuite leur *acte d'association* qui a pour effet de produire une communauté nouvelle faite de composantes diverses, d'individualités singulières caractérisées par une commune solitude. Mais n'anticipons pas. Commençons par le commencement.

Le début des *Sept Samouraïs* est tout à fait remarquable en ce sens qu'il expose d'une manière saisissante la situation initiale, le point de départ de la diégèse. « L'action se passe au XVIe siècle, l'époque des royaumes combattants et des guerres civiles incessantes. D'honorables guerriers devenus bandits sauvages dévastaient les campagnes et exerçaient sur les paysans une tyrannie implacable. Une peur panique s'emparait d'eux lorsqu'ils entendaient s'approcher un bruit sourd de sabots. » Tel est le petit texte introductif qui nous place d'emblée au cœur du monde des *Sept Samouraïs*. Se fait alors entendre effectivement un bruit sourd de sabots, de plus en plus fort, inquiétant et menaçant, tandis que du fond de l'écran divisé en deux horizontalement par la terre et par un ciel d'orage surgit une troupe de bandits qui se lance dans une chevauchée fulgurante et victorieuse. L'écran divisé en deux zones de luminosité contrastée est comme une métaphore du monde déchiré en deux. Les brigands arrivent bientôt sur la hauteur d'une colline d'où ils peuvent avoir une vue surplombante sur un village. Celui-ci, vautré au fond du vallon, terrassé, accablé, aplati par la puissance arrogante des guerriers qui l'ont dépouillé, vit dans la peur et la misère. La caméra, abandonnant les bandits dans leur mouvement d'éloignement, descend dans le village et présente d'abord l'image des paysans rassemblés en cercle, tous accroupis, dos courbés, comme écrasés sous le poids du monde impitoyable. Plaintes et lamentations de femmes. Cris de colère, hurlements de rage, paroles de révolte s'entendent tour à tour. Un paysan, Rikichi, se lève pour exprimer toute sa haine à l'égard des envahisseurs et son irrépressible désir de les exterminer. À quoi répond un autre paysan plus âgé, Manzo, exacerbé : « Les exterminer ? Hum ! Tu sais très bien que c'est impossible. Nous, les paysans, on n'a pas d'autres moyens que celui de souffrir en silence et d'endurer… C'est notre destin. On n'a pas d'autres choix que celui de *se laisser enrouler par ce qui est long…* »

Manzo prône la résignation, l'obéissance, la soumission muette à la toute-puissance des guerriers hors la loi. Mais le doyen du village qu'ils ont décidé de consulter propose une solution inattendue : il décrète qu'il faut embaucher des samouraïs capables de les défendre contre l'assaut des agresseurs barbares. Mais comment en trouver ? Manzo s'oppose à cette idée saugrenue. Le doyen répond avec fermeté qu'un ours, quand il est affamé, sort de la forêt. Il faut donc trouver des samouraïs affamés, des *ronins* réduits à la dernière nécessité. Or un *ronin*, même dans un grand dénuement, s'il est trop attaché à son appartenance à l'ordre des guerriers, ne daignera pas se dévouer à une tâche aussi dégradante que celle de défendre un petit village de paysans. La mission de Rikichi et de quelques autres à la recherche de défenseurs désintéressés se révèle donc difficile. Un travail qui ne donnera ni gloire ni rétribution ; le seul avantage sera de pouvoir manger à sa faim. La plupart des *ronins* croisés ne sauraient accepter de telles conditions. Kurosawa, de fait, montre deux guerriers déclassés qui se sentent offusqués par la proposition déshonorante des paysans.

Mais le hasard met les paysans sur le chemin d'une rencontre décisive. Ils assistent à une scène étonnante : un *ronin*, Kanbei Shimada, déguisé en bonze indigent au crâne rasé, réussit, au profit d'une simple famille de paysans, à faire une opération de sauvetage d'un nourrisson pris en otage par un voleur. Voilà un samouraï qui accepte de se mettre en quatre pour prêter secours à une famille miséreuse, sans rien attendre en retour. D'emblée, par sa double distanciation — endosser l'habit de *bonze* et se mettre à la place d'une *paysanne* dont l'enfant est pris en otage —, Kanbei apparaît comme un samouraï apte à se détacher, si besoin est, de sa condition de guerrier. Après de longs moments d'hésitation, il répondra favorablement à la demande de Rikichi. Et, peu à peu, ce samouraï qui porte en lui une formidable faculté de *devenir autre* rassemble autour de lui des êtres qui lui ressemblent. Les sept sont tous des *ronins* errants, sans emploi, sans toit, sans ressources ; ils vivent dans la pauvreté. Ils ont en commun une force intérieure qui les distingue des autres samouraïs rejetés hors de la caste guerrière et désireux, en raison même de cette marginalité subie, de s'y réintégrer en décrochant un emploi auprès d'un seigneur. Et il faut noter à cet égard que Kurosawa insiste sur le fait que ces ambitieux sont en grand nombre et même constituent la *majorité*.

Si une équipe de protecteurs dévoués se constitue autour de Kanbei, c'est que sa faculté de détachement par rapport à son groupe d'appartenance originel touche les autres et les transforme à son image. Katsushiro, le benjamin qui sortira de sa minorité à travers toute l'aventure contée par le récit cinématographique, porte à son maître une admiration sans borne depuis qu'il a assisté à la scène de sauvetage du nourrisson. Gorobei, lui aussi fortement impressionné par la personnalité de Kanbei, décide d'apporter sa pierre à l'œuvre commune. Quant à Shichiroji, un personnage un peu effacé, que Kanbei retrouve tout à fait par hasard, on le sent lié à son compagnon d'armes par un profond sentiment de respect et d'affection. S'agissant du redoutable et taciturne maître de sabre, Kyuzo, dont la première rencontre avec Kanbei n'est pas montrée, on imagine qu'il s'est laissé séduire par son engagement désintéressé. Enfin, pour ce qui est de Heihachi, le joyeux coupeur de bois, c'est Gorobei qui le trouve comme si la capacité d'aller au-delà de ses appartenances propre à Kanbei le touchait par l'intermédiaire du premier touché. À ces authentiques guerriers s'ajoute enfin un septième qui n'est pas comme les autres : Kikuchiyo. C'est un faux samouraï, un paysan qui désire s'approprier une identité guerrière ; il a été fasciné comme Katsushiro par la manière dont Kanbei a sauvé le nourrisson. Il est subjugué jusqu'à perdre l'usage de la parole par cet étrange samouraï qui met allègrement entre parenthèses ses appartenances originelles afin de se mettre à la place d'une paysanne au désespoir, de son enfant exposé à un danger de mort. Kikuchiyo tient absolument à suivre Kanbei et les autres.

Guidés par les paysans recruteurs, les six samouraïs suivis de leur demi-frère partent au petit matin en direction du village à défendre. Ils se sont ainsi lancés dans une longue errance dont ils ne connaissent pas l'issue, une tentative d'arrachement à soi en ce sens qu'ils s'élèvent au-dessus de leur condition première ou, si l'on préfère, un exercice d'éloignement par rapport à soi qui met à l'épreuve leur humanité au sein même de leur expérience de l'altérité radicale, de cet Autre que représentent les paysans.

Les sept samouraïs sont autant d'*êtres singuliers* qui se caractérisent d'abord par leur solitude essentielle. Ils apparaissent devant nous, chacun son tour, chacun à sa manière, en tant qu'êtres *autoréférentiels* : rien d'extérieur à eux ne les détermine. Nous n'avons strictement aucune information sur leur passé, leur présent, leurs relations familiales et sociales. Ils se définissent seulement et simplement dans leur mouvement d'apparition même.

Ce qui est remarquable, c'est que ces êtres errants et déliés cherchent à tisser, à partir de leur position d'*être singulier*, des rapports inédits non seulement entre eux — inédits en ce sens qu'ils ne sont plus de nature verticale mais d'essence horizontale —, mais aussi avec les paysans dans la perspective de la création d'un véritable corps politique. L'errance des sept hommes les amène donc à procéder à un acte d'association librement consenti. Le dessein profond de Kurosawa éclate ici dans toute sa radicalité. Il me paraît, au vu de la conception traditionnelle et ethnique du *politique*, doué d'une incomparable force de questionnement de la *chose publique* : nous sommes en présence d'hommes qui cherchent à *refaire société* à l'occasion de cette espèce de *pacte social* qu'ils contractent entre eux et avec les paysans qu'ils veulent désormais protéger contre la horde de brigands sans foi ni loi.

Certains paysans au village, cependant, ne sont pas forcément prêts à accepter de grand cœur leurs sauveurs. Une certaine méfiance peut s'installer et conduire tel ou tel individu à privilégier l'intérêt particulier au détriment de l'intérêt commun. Ainsi

Manzo, qui a peur de ce qui arrivera à sa fille Shino, jeune et belle, laissée au milieu des guerriers, sème-t-il la panique en la transformant en garçonnet par la sauvage méthode de lui couper son abondante chevelure. Mosuke, qui réprimande Manzo à cette occasion, se laisse emporter à son tour par la colère lorsqu'il apprend qu'il lui faut sacrifier sa maison située à l'extérieur pour la construction des barricades protectrices du village. Kanbei dégaine alors son sabre pour ordonner aux dissidents de regagner leur rang. Et, à l'instar d'un tribun, il harangue les paysans : « On ne peut pas mettre vingt maisons en danger pour en sauver trois. Une fois le village détruit, aucune des trois maisons isolées ne pourra survivre. C'est ça, la guerre. On protège les autres pour se protéger. Celui qui ne pense qu'à lui se détruira lui-même. »

Les paysans, en dépit des apparences communautaires du village, ne constituent donc pas au départ un corps social unifié. Comme l'a souligné pertinemment Clélia Zernik, ils sont là plutôt en tant que multitude, agrégat d'individus impuissants qu'il s'agit précisément de transformer en *peuple* par l'intervention éducative des samouraïs. Il me semble que c'est un tel projet d'institution politique, une telle vision, autrement dit, du *politique*, conforme dans une large mesure à l'esprit du *Contrat social*, que *Les Sept Samouraïs* présente et propose au public de 1954 encore hanté par les spectres de la guerre de Quinze Ans qui a engendré, comme on le sait, de terribles souffrances au Japon et ailleurs.

La scène qui montre admirablement le caractère grégaire des paysans est sans nul doute celle de l'arrivée au village des samouraïs. Il s'agit là d'un moment essentiel où une sorte de pacte social s'établit par la médiation géniale de Kikuchiyo pour faire de la multitude désordonnée ce que Rousseau appelle justement un *peuple* ou une *république*. Il faut souligner à cet égard que seul Kikuchiyo, un faux samouraï ou un être hybride ni samouraï ni paysan, pouvait jouer le rôle de catalyseur permettant la rencontre fabuleuse des paysans avec leurs protecteurs guerriers.

Les paysans ont peur des samouraïs. Ils sont cloîtrés chez eux. Personne n'a le courage d'aller à la rencontre de défenseurs qu'ils ne perçoivent pas en tant que tels. C'est alors qu'on entend de petits coups de bois stridents, comme une alerte qui vient on ne sait d'où. Kanbei et ses collègues se précipitent vers la place du village, tandis que les paysans apeurés, poussant des cris d'épouvante, vont tous azimuts. La course à la fois rythmée et déterminée des samouraïs s'oppose à l'agitation chaotique des manants. Les corps droits, parfaitement maîtrisés des guerriers font contraste avec les corps hésitants, branlants, chancelants des péquenots. Sur le plan cinématographique, je noterai que les mouvements des foules paysannes, agglutinées, désordonnées, hystériques sont saisis par des plans larges, tandis que les samouraïs, parfaitement maîtres de leurs mouvements, sont individualisés par une succession rapide de plans rapprochés. Il s'avère enfin que les coups de bois stridents sont dus à la malicieuse ruse de Kikuchiyo qui a voulu ainsi faire sortir les paysans poltrons de leur terrier et réaliser la rencontre des deux groupes distincts dans une chaleureuse et joviale assemblée. Là, par conséquent, prend naissance quelque chose qu'on pourrait appeler un peuple (distinct d'une simple multitude) ou, si l'on préfère, un *corps politique* au sens rousseauiste du terme. Kikuchiyo est ici comme une métaphore vivante du *pacte social* qui permet l'union des deux groupes, voire de tous les individus jusque-là épars, ce qui est d'ailleurs magnifiquement illustré par l'étendard fabriqué par Heihachi et arboré ensuite par Kikuchiyo lui-même sur le toit d'une chaumière après la mort dramatique du coupeur de bois, l'étendard qui serait le drapeau d'une véritable cité, négation et antithèse radicale du drapeau au disque solaire. Par le personnage de Heihachi qui invente le symbole d'un *corps politique* naissant, le film s'accroche à l'Histoire de notre temps.

Il faut rappeler à cet égard qu'à l'exact milieu de la durée narrative des *Sept Samouraïs* se trouve insérée une brève séquence qui ne passe pas inaperçue en raison de son *réalisme cru*. L'effet documentaire l'emporte sur le fictionnel comme si le film nous invitait à sortir de l'histoire pour entrer de plain-pied dans l'Histoire. À la veille de la moisson, les samouraïs réunissent les paysans : Gorobei les prévient qu'ils devront désormais vivre en groupe afin de se préparer à la bataille avec les brigands. Et Kikuchiyo d'ajouter : « Donc, cette nuit, faites bien plaisir à votre femme ! » La phrase de Kikuchiyo, dite sur un ton badin, provoque un rire général, franc tout autant qu'enjoué, de la part des paysannes ridées et édentées. La manière dont Kurosawa filme en plan rapproché ces vieilles femmes jouées sans nul doute par des comédiennes non professionnelles montre à l'évidence qu'elles sont non seulement dans l'histoire (du film), mais encore et surtout dans la société japonaise de son temps.

À travers l'effort d'éloignement de soi déployé par chacun des samouraïs solitaires, à travers aussi leur désir d'association pour le bien-être commun apparaît donc l'errance du cinéaste lui-même, profonde et grandiose. Il me semble que Kurosawa a accompli là un travail de titan qui l'a emmené très loin dans la déconstruction de la fameuse notion de *corps étatico-moral*, incarnation nationale du corps divin de l'Empereur et fondement même du Japon d'autrefois qui a plongé celui-ci dans un des systèmes totalitaires les plus meurtriers, les plus irrespectueux de l'individu et de la vie humaine. Dans le chef-d'œuvre de 1954, l'idée de *corps étatico-moral* est anéantie jusque dans ses racines au profit de l'émergence d'un autre ordre de corps qui est très précisément un *corps politique* non plus informé par une instance tutélaire extérieure, mais fondamentalement issu de la volonté commune des individus rassemblés.

Le réalisateur des *Sept Samouraïs* est un rare créateur qui, avec les moyens qui lui sont propres, a su introduire dans l'imaginaire politique japonais une certaine idée de la république, un véritable pavé dans la mare.

ÉPILOGUE

Mon errance

Je suis japonais, je suis né au Japon de parents japonais ; j'ai grandi au Japon, j'ai été scolarisé dans le système éducatif japonais. Dans toute la généalogie de ma famille, aussi loin que l'on puisse remonter dans le temps, on ne voit aucune figure étrangère. Et, aujourd'hui, je continue à vivre dans le pays qui a vu ma naissance, à respirer dans les mœurs qui ont taillé mon quotidien, à me mouvoir dans l'enchevêtrement des perceptions qui ont façonné et façonnent mes jours comme mes nuits.

On ne choisit pas sa naissance. On ne choisit pas ses parents. On ne choisit pas sa généalogie. On ne choisit pas son pays. On ne choisit pas ses origines ethniques et raciales. On ne choisit ni son époque, ni son lieu et sa date de naissance, ni donc *a priori* sa langue. Mais parmi toutes ces données hors de notre maîtrise, qui nous sont définitivement imposées du dehors et qui nous fixent, nous arrêtent, nous enferment dans une détermination préalable sans issue ou presque, seul l'espace de la langue semble nous offrir des ouvertures, des échappatoires, si infimes soient-elles. En fait, on peut choisir sa langue, si l'on veut ; une langue, des langues dans toute la gigantesque symphonie communicante des langues. On peut librement s'approprier une langue, des langues. Et une chose qui mérite d'être notée, c'est que la langue, ou plutôt les langues sont des biens communs, des espaces publics, des lieux non délimités et non délimitables qu'on peut traverser, fréquenter sans être redevable de quoi que ce soit, à qui que ce soit, sans être taxé d'être envahisseur. La langue n'est pas une *propriété privée*. C'est une terre généreuse sans propriétaire où se déroule une fabuleuse fête permanente à entrée gratuite. La langue est la chose, et en disant cela j'éprouve le besoin de dire tout de suite que ce n'est même pas une chose, la langue est donc quelque chose qui relève, osons le mot, du *communisme absolu*, c'est-à-dire quelque chose qui est, par-delà la situation babélique du monde, le plus universellement partagé et partageable, plus que le ciel qu'on regarde, plus que l'air qu'on respire. Qu'il est réjouissant et consolant de savoir qu'on n'est pas fatalement et pour toujours enfermé dans une seule langue, qu'on n'est pas inévitablement prisonnier de sa culture propre !

J'aime les errants, les personnages en errance qui s'éloignent du naturel, du natal, du maternel. J'aime ceux qui regardent le proche par le lointain. J'aime ceux qui osent défaire les liens préétablis pour en refaire d'autres à leur convenance, un peu comme l'*éclectique* de Diderot qui tient à se faire une « philosophie particulière et domestique » après avoir examiné toutes les philosophies « sans égard et sans partialité ». J'aime par exemple Travis Henderson dans *Paris, Texas* (1984) de Wim Wenders ; j'aime aussi Natalie Ravenna dans *Les Gens de la pluie* (1969) de Francis Ford Coppola.

Pourtant, je ne ressemble en rien à Travis ni à Natalie. Je n'aime pas les déplacements. Je suis de nature fort sédentaire. Je suis bien là où je me trouve. Oserai-je me définir cependant à mon tour comme un être en errance ? Mon errance, si errance il y a, est d'ordre intérieur comme celle de tous mes grands héros convoqués dans les pages précédentes. Mais elle est aussi et surtout de nature linguistique. Elle a commencé voici plus de quarante ans entre deux langues, entre, d'une part, celle de mes parents, celle qui m'est venue naturellement, celle qui me traverse verticalement et, d'autre part, celle que je suis allé habiter, celle que j'ai choisi de m'approprier, celle dont j'ai décidé de faire un lieu d'ancrage me permettant de me distancier de ce que ma langue d'origine m'oblige à être.

Mais d'où est venu ce désir d'errance ? Je crois pouvoir dire aujourd'hui que ma manière d'entrer, de pénétrer dans la langue française et même de l'épouser si j'ose dire, cette manière volontaire et volontariste de *me décentrer* par rapport à ma langue première, je la dois largement à mon père. Vivant pendant la très difficile période de l'avant-guerre qui a vu le Japon s'engouffrer dans la dictature meurtrière, mon père a su se désolidariser de l'unanimisme de la majorité régnante. Je suis né de *ce désir-là*. Mes deux naissances, l'une biologique, l'autre inscrite dans le choix de la langue française, ont leurs origines dans ce *désir-là*. C'est la raison pour laquelle j'ose parler de *langue paternelle* au sujet du français. « Langue paternelle » n'est pas un concept ; c'est tout simplement une manière d'indiquer une proximité réelle, mon inscription identitaire dans une langue laborieusement apprise et amoureusement conquise. J'insisterai sur les deux adverbes : *laborieusement* et *amoureusement*. Laborieusement, parce que, quand on vient d'une langue aussi éloignée que le japonais, l'apprentissage implique un effort et une attitude qu'il faut bien qualifier d'ascétiques ; amoureusement, parce que, sans l'amour des mots et de la musique qu'ils génèrent dans leur agencement subtil, on ne peut pas aller bien loin dans son errance verbale. Ce n'est donc pas sans raison que j'ai toujours considéré le français comme un instrument de musique, mais aussi et surtout comme une femme désirée ou plutôt comme le corps désiré d'une femme qui m'échappe perpétuellement.

Je joue du français, je jouis du français. Le musicien qui se cache en moi se livre à un exercice solitaire dans l'intimité impénétrable d'une alcôve fermée à clé. Là il se libère. En sortant de sa langue natale qui l'enferme dans d'inextricables contraintes d'ordre tout à la fois langagier et social et en entreprenant une plongée sous-marine dans les eaux profondes de la langue française, il se hasarde à marquer des avancées incertaines, périlleuses dans un espace étrange et mystérieux qui émerge devant lui et au fond de lui. C'est cela, en substance, son *errance* qu'il ne cessera de poursuivre *seul*, inlassablement, infatigablement, interminablement.

Oui, seul. Être dans le langage essentiel qu'il élabore par le biais de cette autre langue qu'est le français pour se taire, pour mourir à soi ; entrer, autrement dit, dans le *royaume intermédiaire* par la majestueuse porte de cette langue autre ; être ainsi *délié* de tout ce que suppose *parler* dans sa langue première ; vouloir partager de la sorte la solitude d'un animal qui voit l'*Ouvert* comme le dit Rilke ; s'attacher donc à sauvegarder son statut d'*être singulier* jusqu'à mettre entre parenthèses son être social ; c'est nécessairement faire l'expérience d'une tristesse lourde, d'une mélancolie tenace, d'une désolation profonde.

Kurosawa le savait. A-t-on remarqué que certains des guerriers des *Sept Samouraïs*, à commencer par le chef Kanbei, portent en eux cette tristesse inhérente à leur situation d'*être singulier* ? Soseki Natsume le savait aussi. Car je me demande si ce n'est pas une telle tristesse qu'évoque ce grand romancier dans sa célèbre conférence *Mon individualisme* (1914). Cette conférence fut prononcée dans un contexte particulier qui est celui de l'affermissement du régime dictatorial de Meiji défini, d'une part, par la Constitution de l'Empire du Grand Japon et, d'autre part, par l'Ordonnance impériale sur l'éducation. Et, j'ose le penser, c'est le courage d'assumer et de vivre cette tristesse qui permit à Soseki de créer de puissantes figures littéraires, inoubliables précisément par leur volonté d'*errance déliante*, comme le personnage du jeune homme authentiquement *libre* de *Botchan* (1906) ou celui de l'*inactif* Daisuke de son chef-d'œuvre *Et puis* (1909).

Au terme de ce *Petit éloge de l'errance* qui s'est efforcé d'être lui-même une tentative d'errance, je pense surtout au personnage de Botchan, à ce jeune professeur de mathématiques dans un collège de province. Dans chaque établissement scolaire, la « salle de garde » était le lieu où étaient conservés en dépôt le portrait photographié de l'Empereur et une copie conforme de l'Ordonnance impériale sur l'éducation. Et la mission du surveillant de nuit consistait précisément à sauver coûte que coûte ces deux substituts sacrés de la présence impériale mis en péril par les flammes d'un éventuel incendie. Or Soseki invente un scénario selon lequel Botchan, alors qu'il est de service de nuit, prend la liberté d'aller se prélasser dans les eaux d'une source thermale. L'écrivain va même jusqu'à opérer une certaine désacralisation de la « salle de garde » par l'invasion d'une armée de sauterelles. Combien d'hommes et de femmes d'aujourd'hui sont-ils capables d'être aussi souverainement indifférents que Botchan à l'égard de la sacralité impériale et aussi libres, aussi radicalement critiques que Soseki par rapport à la puissance dictatoriale de l'État toujours prête à ressurgir ?

« Par la grâce d'une éducation réduite au strict minimum, les gens de ce pays sont tellement exploités, à en avoir le tournis, qu'ils succombent tous en chœur à la neurasthénie », faisait dire le romancier de *Et puis* à son personnage principal. Que dirait-il aujourd'hui face aux revenants du *corps étatico-moral* qui vampirisent les esprits ?

Un étrange et menaçant calme règne sur Tokyo.

ŒUVRES CITÉES

Textes

Georges BATAILLE, *Méthode de méditation*, *Œuvres complètes*, volume V, Paris, Gallimard, 1973.

Régis DEBRAY, *L'Intellectuel face aux tribus*, Éditions du CNRS, 2008.

Raymond DEPARDON, *Errance*, Seuil, 2004.

Denis DIDEROT, *Le Neveu de Rameau*, édition de Michel Delon, Gallimard, Folio, 2006.

— « Éclectique » de l'*Encyclopédie*.

Shuichi KATO, *Histoire de la littérature japonaise*, en trois volumes, traduit du japonais par E. Dale Saunders, Fayard, 1985-1986.

— *Le Temps et l'espace dans la culture japonaise*, traduit du japonais par Christophe Sabouret, Éditions du CNRS, 2009.

Masao MARUYAMA, *La Pensée japonaise (Nihon no shiso)*, Éditions Iwanami, 1961.

Soseki NATSUME, *Mon individualisme*, traduit du japonais et présenté par René de Ceccatty et Rôyji Nakamura, Rivages, 2004.

— *Botchan*, traduit du japonais par Hélène Morita, Le Serpent à plumes, 1993.

— *Et puis*, traduit du japonais par Hélène Morita, Le Serpent à plumes, 2003.

Rainer Maria RILKE, *Élégies de Duino, Sonnets à Orphée*,

traduit de l'allemand par Jean-Pierre Lefebvre et Maurice Regnaut, Gallimard, Poésie/Gallimard, 1994.

Jean-Jacques ROUSSEAU, *Discours sur les sciences et les arts*, préface de Jean Varloot, Gallimard, Folio, 1987.

— *Discours sur l'origine et les fondements de l'inégalité parmi les hommes*, édition de Jean Starobinski, Gallimard, Folio, 1985.

— *Du Contrat social*, présentation par Bruno Bernardi, Flammarion, Garnier-Flammarion, 2012.

— *La Nouvelle Héloïse*, édition d'Henri Coulet, Gallimard, Folio, 1993.

— *Les Confessions*, préface de J.-B. Pontalis, Gallimard, Folio, 2009.

— *Les Rêveries du promeneur solitaire*, préface de Jean Grenier, Gallimard, Folio, 1972.

Films

Charlie CHAPLIN, *Le Dictateur*, 1940.

Francis Ford COPPOLA, *Les Gens de la pluie*, 1969.

Masaki KOBAYASHI, *La Condition de l'homme*, 1959-1961.

— *Hara-kiri (Seppuku)*, 1962.

— *Rébellion*, 1967.

Akira KUROSAWA, *Yojimbo (Le Garde du corps)*, 1961.

— *Sanjuro*, 1962.

— *Les Sept Samouraïs*, 1954.

Wim WENDERS, *Paris, Texas*, 1984.

Musiques

Ludwig van BEETHOVEN, *Quatuor à cordes n° 9 en do majeur « Razumovsky »*, op. 59 n° 3, 1806.

Wolfgang Amadeus MOZART, *Les Noces de Figaro*, K. 492, 1786.

— *Così fan tutte*, K. 588, 1790.

COLLECTION FOLIO 2 €

Tous les papiers utilisés pour les ouvrages
des collections Folio sont certifiés
et proviennent de forêts gérées durablement.

Composition : IGS-CP à L'Isle-d'Espagnac (16)
Impression Novoprint
à Barcelone, le 22 février 2022
Dépôt légal : février 2022
1ᵉʳ dépôt légal dans la collection : aôut 2014

ISBN : 978-2-07-045934-6/ Imprimé en Espagne

447002